Geflüster aus Valhalla

Eine Reise durch die Nordische Mythologie, Götter und Legenden

Leonara Wiesenbach

Inhaltsverzeichnis

1. Vorwort

In einem Land hoch im Norden, wo kalte Winde über unberührte Landschaften fegen und die Nächte im Winter so lang sind, dass sie unendlich scheinen, beginnt unsere Reise in die Welt der nordischen Mythen. Diese uralten Geschichten aus dem Stoff, aus dem die Träume sind, erzählen von Göttern und Riesen, von mutigen Helden und listigen Trickstern, die die faszinierende Welt Skandinaviens bevölkerten, lange bevor die moderne Geschichte ihren Anfang nahm.

Das Vorwort dieses Buches ist eine Einladung, gemeinsam in die tiefen Wälder und unter die funkelnden Nordlichter aufzubrechen, um die Geheimnisse zu lüften, die in den alten Sagen verborgen liegen. Es ist eine Reise nicht nur in die Vergangenheit, sondern auch in die inneren Landschaften unserer eigenen Vorstellungskraft. Denn die nordischen Mythen sind mehr als nur alte Geschichten, sie sind ein Fenster zu den Werten, Ängsten und Hoffnungen der Menschen, die sie erzählt haben.

Diese Mythen haben die Jahrhunderte überdauert, weil sie grundlegende menschliche Erfahrungen widerspiegeln: den Kampf zwischen Gut und Böse, die Suche nach Weisheit und Wahrheit, die Unausweichlichkeit des Schicksals und die ewige Hoffnung auf Erneuerung. Sie erzählen von einer Welt, in der die Natur nicht nur Kulisse ist, sondern ein lebendiges, atmendes Wesen, das mit den Göttern, den Menschen und allen Geschöpfen verbunden ist.

In diesem Buch wollen wir die Geschichten von Odin, dem weisen Allvater, der sein eigenes Auge opferte, um die Geheimnisse des Wissens zu ergründen, von Thor, dem mächtigen Donnergott, der mit seinem Hammer Mjölnir gegen die Riesen kämpft, und von Loki, dem unberechenbaren Trickster, der so oft Unruhe unter den Göttern stiftet, neu erzählen. Wir begleiten die tapferen Krieger auf ihrem Weg nach Valhalla, Odins prächtiger Halle, wo sie feiern und kämpfen werden, bis Ragnarök, das Schicksal der Götter, anbricht.

Diese Reise durch die nordischen Mythen ist aber auch eine Einladung, über die Bedeutung dieser alten Geschichten in unserer heutigen Welt nachzudenken. Was können sie uns über unseren Platz in der Natur, über Mut und Opfer, über Familie und Gemeinschaft sagen? Wie können uns diese alten Weisheiten helfen, die Herausforderungen unserer Zeit zu verstehen und zu meistern?

Dieses Buch ist für alle, die sich für die Geheimnisse der Vergangenheit interessieren und den Zauber der alten Geschichten spüren wollen. Es ist für Träumer, Suchende und Geschichtenerzähler. Es ist eine Hommage an die reiche Tradition der nordischen Mythologie und ein Zeugnis ihrer zeitlosen Faszination.

Setzen wir also gemeinsam die Segel und tauchen wir ein in die weite Welt der nordischen Mythen. Mögen die Geschichten, die wir auf dieser Reise entdecken, uns inspirieren, unseren eigenen Herausforderungen mit Mut und Weisheit zu begegnen, und uns daran erinnern, dass die alten Götter vielleicht gar nicht so weit weg sind, wie wir denken.

2. Einleitung in die nordische Mythologie

2.1 Ursprünge und kultureller Kontext

Um die Ursprünge und den kulturellen Kontext der nordischen Mythen zu verstehen, müssen wir weit in die Vergangenheit zurückgehen, in eine Zeit, als die Welt noch jung war und die Geschichten, die am Feuer erzählt wurden, nicht nur Unterhaltung, sondern auch Lebensweisheit und Glauben vermittelten. Diese Geschichten wurzeln tief in den Landschaften Skandinaviens - in Norwegen, Schweden, Dänemark, Finnland und Island -, wo der raue Charme der Natur und das ständige Spiel von Licht und Dunkelheit den Alltag der Menschen prägten.

Die nordischen Mythen entstanden in einer Gesellschaft, die eng mit der Natur verbunden war. Die Menschen lebten von Ackerbau, Jagd und Fischfang und ihr Leben war von den Jahreszeiten bestimmt. Der lange, dunkle Winter und der kurze, helle Sommer spielten eine zentrale Rolle in ihrem Weltverständnis und spiegelten sich in ihren

Mythen wider, in denen sich Tag und Nacht, Licht und Dunkelheit, Leben und Tod immer wieder begegnen.

In einer Welt, in der die Natur so viele Gesichter hatte - mal nährend, mal zerstörerisch - glaubten die Menschen an eine Vielzahl von Göttern und Geistern, die die verschiedenen Aspekte der sie umgebenden Welt verkörperten. Diese Gottheiten waren weder allmächtig noch unfehlbar; sie hatten menschliche Züge, Stärken und Schwächen und nahmen aktiv am Schicksal der Menschen teil.

Diese Mythen wurden mündlich von Generation zu Generation weitergegeben, wobei jeder Erzähler der Geschichte seinen eigenen Stempel aufdrückte. So waren die Mythen lebendig, sie wuchsen und veränderten sich mit der Zeit. Es gab keine heiligen Schriften oder Dogmen; die Geschichten selbst waren heilig, und ihre Bedeutung lag in der Weisheit, die sie vermittelten, und in der Verbindung, die sie zwischen den Menschen und der Welt um sie herum herstellten.

Als die Wikinger auftauchten - mutige Seefahrer und Entdecker, die von Skandinavien aus in ferne Länder aufbrachen - nahmen sie diese Geschichten mit. Die Mythen erreichten neue Ufer, vermischten sich mit dem Glauben anderer Völker und wurden so zu einem reichen Erzählstoff, der die nordische Kultur und Identität prägte.

Die Wikingerzeit brachte auch die Runensteine hervor, auf denen Heldentaten, Götter und Mythen verewigt wurden. Diese Steine sind stumme Zeugen der tiefen Verwurzelung der Mythen im skandinavischen Leben. Sie zeigen, dass die Geschichten nicht nur im privaten Kreis erzählt, sondern auch öffentlich geehrt wurden.

Mit der Zeit wurden die mündlichen Überlieferungen niedergeschrieben, am bekanntesten in der Älteren und der Jüngeren Edda, die im mittelalterlichen Island entstanden. Diese Sammlungen von Gedichten und Erzählungen sind unsere wichtigsten Quellen für die nordischen Mythen. Sie geben uns Einblick in das Weltbild der Wikinger und der skandinavischen Völker der Vorzeit.

Der kulturelle Kontext der nordischen Mythen ist daher tief in der Landschaft und der Lebensweise Skandinaviens verwurzelt. Die Geschichten spiegeln die Auseinandersetzung der Menschen mit ihrer Umwelt, ihre Sehnsüchte und Ängste, ihre Vorstellungen von Ehre, Mut und Schicksal wider. Sie erzählen von einer Welt, in der das Göttliche im Alltäglichen zu finden ist und die Grenzen zwischen Natürlichem und Übernatürlichem fließend sind.

Auch wenn wir heute in einer ganz anderen Welt leben, haben diese alten Geschichten nichts von ihrer Faszination verloren. Sie erinnern uns daran, dass wir Teil eines größeren Ganzen sind, verbunden mit der Natur und den Generationen vor uns. In den nordischen Mythen finden wir nicht nur spannende Abenteuer und tiefe Weisheit, sondern auch eine Spur, die uns zu den Wurzeln unserer eigenen Kultur und Geschichte führt.

2.2 Die Eddas und ihre Bedeutung

Um in den tiefen Gewässern der nordischen Mythen zu navigieren, brauchen wir zuverlässige Führer, und hier kommen die Eddas ins Spiel. Diese alten Texte sind wie Leuchttürme in der nebligen Nacht der Vergangenheit, die uns den Weg zu den Göttern, Helden und den vielen Fabelwesen weisen, die die nordische Mythologie bevölkern. Die Eddas sind nicht einfach nur Bücher, sondern Schatztruhen voller Geschichten, die uns helfen, das Weltbild, die Kultur und den spirituellen Glauben der Menschen zu verstehen, die einst den Norden Europas bewohnten.

Es gibt zwei Hauptwerke, die wir als die Eddas kennen: die Ältere Edda oder Poetische Edda und die Jüngere Edda oder Prosa-Edda. Beide spielen eine entscheidende Rolle für unser Verständnis der nordischen Mythologie, aber sie dienen unterschiedlichen Zwecken und stammen aus unterschiedlichen Zeiten und Kontexten.

Die Poetische Edda ist eine Sammlung altnordischer Gedichte aus einer Zeit, die weit zurückreicht, vielleicht bis in die Wikingerzeit. Diese Gedichte wurden mündlich überliefert, bevor sie im 13. Jahrhundert in Island niedergeschrieben wurden. Sie sind in einer Zeitkapsel eingeschlossen, die uns direkten Zugang zu Mythen, Heldensagen und Göttern wie Odin, dem weisen Allvater, Thor, dem mächtigen Donnergott, und Loki, dem listigen Gestaltwandler, gewährt. Die Gedichte der poetischen Edda sind voller Rätsel, Metaphern und tiefer symbolischer Bedeutungen, die uns einen Einblick in die Denkweise und Lebensphilosophie der nordischen Völker geben.

Die Prosa-Edda wurde etwas später von Snorri Sturluson, einem isländischen Gelehrten und Politiker, verfasst. Snorri lebte im 12. und 13. Jahrhundert, als sich das Christentum in Skandinavien bereits fest etabliert hatte. Sein Ziel war es, die altnordische Dichtung und Mythologie zu bewahren und zu erklären, damit künftige Generationen die alten Geschichten und die Kunst der Skalden, der Dichter des Nordens, verstehen konnten. Die Prosa-Edda ist daher nicht nur eine Quelle von Mythen, sondern auch ein Lehrbuch der Dichtkunst, das zeigt, wie tief die Mythologie in der nordischen Kultur verwurzelt war.

Die Bedeutung der Eddas kann nicht hoch genug eingeschätzt werden. Sie sind die Grundlage dessen, was wir heute über die nordische Mythologie wissen. Ohne sie wären viele der Geschichten, die uns heute so faszinieren, verloren gegangen. Sie geben nicht nur Einblick in die Welt der Götter und die Vorstellungen vom Kosmos, sondern auch in die menschliche Natur, in Werte wie Mut, Treue und das Streben nach Wissen und Weisheit.

Darüber hinaus zeugen die Eddas von der schöpferischen Kraft der nordischen Völker. Die Geschichten, die sie erzählen, sind voller Dramatik, Tragik, Humor und Weisheit. Sie zeigen uns eine Welt, in der das Schicksal unausweichlich ist, aber auch, dass im Angesicht des

Unausweichlichen Tapferkeit und Ehre zählen. Sie erinnern uns daran, dass die Welt voller Wunder und Geheimnisse ist, dass die Natur sowohl schön als auch furchterregend sein kann und dass die Götter, so mächtig sie auch sein mögen, ihren eigenen Untergang in Ragnarök, dem Ende der Welt, nicht verhindern können.

Aber vielleicht liegt die größte Bedeutung der Eddas darin, dass sie uns lehren, über unsere eigene Existenz nachzudenken. In ihren Geschichten spiegeln sich die ewigen Fragen der Menschheit: Wer sind wir? Woher kommen wir? Was ist unsere Bestimmung? Die Eddas laden uns zu einer Reise nicht nur in die Vergangenheit, sondern auch in unser Inneres ein, um Antworten auf diese Fragen zu finden.

So sind die Eddas mächtige Zeugen einer längst vergangenen Zeit, deren Echo bis in unsere Gegenwart reicht. Sie sind Brücken zwischen den Welten, zwischen Alt und Neu, zwischen Göttern und Menschen. Durch sie können wir die Stimmen der Vergangenheit hören und die Weisheit einer Welt entdecken, die uns zugleich fremd und vertraut ist.

2.3 Überblick über die nordische Weltanschauung

Das nordische Weltbild ist ein faszinierendes Mosaik aus Glauben, Traditionen und Lebensweisen, das tief in den Herzen und Seelen der Menschen im alten Skandinavien verwurzelt ist. Dieses Weltbild, das von der rauen und oft unbarmherzigen Natur des Nordens geprägt wurde, spiegelt sich in den Mythen und Legenden wider, die uns in den Eddas überliefert wurden. Es ist eine einzigartige und zugleich universelle Sicht auf das Leben und das Universum, voller Weisheit, die auch heute noch relevant ist.

In der nordischen Weltanschauung ist das Universum ein dynamisches und komplexes System verschiedener Welten, die durch den Weltenbaum Yggdrasil miteinander verbunden sind. Diese Welten beherbergen Götter, Menschen, Riesen, Zwerge, Elfen und andere Wesen, die alle in einem ständigen Wechselspiel von Kräften und Beziehungen zueinander stehen. Die Vorstellung eines Kosmos, der durch diese Wechselwirkungen geformt wird, unterstreicht die tiefe Verbundenheit aller Dinge. Es ist eine Sichtweise, die den Menschen daran erinnert, dass er Teil eines größeren Ganzen ist und dass seine Handlungen und Entscheidungen weitreichende Folgen haben können.

Der nordische Glaube kennt viele Götter und Göttinnen, jede mit ihrer eigenen Persönlichkeit, ihren Stärken und Schwächen. Diese Gottheiten sind nicht allmächtig und unfehlbar, sondern haben menschliche Züge und sind den gleichen Leidenschaften, Konflikten und Fehlern unterworfen wie die Menschen selbst. Diese Götter herrschen nicht nur über die verschiedenen Aspekte der natürlichen und übernatürlichen Welt, sondern nehmen auch aktiv am Schicksal der Menschen teil, unterstützen sie, fordern sie heraus und lehren sie wertvolle Lektionen.

Ein zentrales Element der nordischen Weltanschauung ist das Konzept des Schicksals, bekannt als "Wyrd". Wyrd ist eine unausweichliche Kraft, die das Leben aller Wesen lenkt, aber sie ist nicht starr oder unveränderlich. Sie betont die Bedeutung der persönlichen Verantwortung und die Möglichkeit, den eigenen Lebensweg durch mutige Taten und ehrenhaftes Verhalten zu beeinflussen. Die nordischen Menschen glauben, dass Heldentum und Ruhm nicht nur im Leben, sondern auch nach dem Tod in der Erinnerung der Nachwelt fortbestehen.

Auch die Beziehung zur Natur spielt in der nordischen Weltanschauung eine zentrale Rolle. Die Natur wird nicht als etwas gesehen, das beherrscht oder ausgebeutet werden muss, sondern als eine heilige und beseelte Kraft, die Respekt und Ehrfurcht verdient. Berge, Flüsse, Wälder und Meere sind die Heimat von Geistern und Gottheiten, und die Zyklen der Natur spiegeln die Zyklen von Leben, Tod und Wiedergeburt wider.

Die nordische Mythologie ist reich an Geschichten über Heldentum, Abenteuer, Tragödie und Triumph. Hinter diesen Geschichten verbirgt sich jedoch eine tiefe Reflexion über das Leben und seine Herausforderungen. Die Mythen lehren uns, dass das Leben voller Prüfungen und Schwierigkeiten ist, aber auch Möglichkeiten für Wachstum, Erkenntnis und Ehre bietet. Sie erinnern uns daran, dass Tapferkeit nicht in der Abwesenheit von Angst liegt, sondern in der Fähigkeit, trotz Angst zu handeln.

Schließlich erinnert uns die nordische Weltanschauung an die Kraft von Geschichten und Erzählungen, unser Leben zu formen und zu bereichern. Sie lehrt uns, dass wir durch die Geschichten, die wir erzählen, und die Werte, die wir leben, unsere eigene Welt und das Universum um uns herum mitgestalten. Die nordischen Mythen sind nicht nur Relikte einer vergangenen Zeit, sondern lebendige Weisheit, die uns auch heute noch inspirieren und leiten kann, wenn wir unsere eigenen Lebensgeschichten schreiben.

3. Die kosmische Ordnung

3.1 Yggdrasil und die neun Welten

Im Mittelpunkt der nordischen Mythologie steht Yggdrasil, der Weltenbaum, ein mächtiges Symbol für die Komplexität und Verbundenheit des Universums. Diese ewige, grüne Esche streckt ihre Äste in den Himmel und ihre Wurzeln tief in die Unterwelt, verbindet so alles Sein und bildet die Grundlage für die neun Welten, die in ihrem Schatten leben und atmen. Die Vorstellung von Yggdrasil und den neun Welten ist nicht nur ein zentrales Element des nordischen Glaubens, sondern auch ein fesselndes Bild, das die Einheit und Vielfalt der Existenz veranschaulicht.

Yggdrasil ist mehr als nur ein Baum, sie ist ein lebendiges Wesen, das den Kreislauf von Leben, Tod und Wiedergeburt verkörpert. Seine Blätter und Zweige beherbergen die Wohnstätten der Götter und anderer Wesen, während seine Wurzeln zu verborgenen Quellen führen, aus denen Weisheit und Schicksal entspringen. Die Vorstellung, dass alle Welten Teil eines zusammenhängenden Ganzen sind, das durch Yggdrasil verbunden wird, spiegelt eine tiefe Wertschätzung der Natur und das Verständnis wider, dass alles im Universum miteinander verbunden ist.

Die neun Welten, die Yggdrasil umgeben, sind ein Mosaik aus verschiedenen Reichen mit jeweils eigenen Bewohnern und Geschichten. Asgard, die Heimat der Götter Aesir, thront in den höchsten Zweigen des Baumes, ein Ort von großer Pracht und Herrlichkeit, wo Odin, Thor und die anderen Götter in ihren mächtigen Hallen residieren. Midgard, die Welt der Menschen, liegt in der Mitte der Welten, umgeben von einem unwirtlichen Ozean, der von der gewaltigen Seeschlange Jormungandr umschlungen wird. Jotunheim, das Land der Riesen, liegt in einer rauen und eisigen Landschaft, die in ständigem Konflikt mit den Göttern Asgards steht.

Neben diesen bekannten Reichen gibt es Niflheim, das neblige Reich des Eises und der Kälte, und Muspelheim, das flammende Land des Feuers, aus dem Feuer und Eis in der Schöpfungsgeschichte hervorgingen. Helheim, unter dem Schutz von Hel, der Göttin des Todes, ist der Ort, an dem diejenigen, die nicht heldenhaft gestorben sind, ihre letzte Ruhe finden. Alfheim, das Reich der Lichtelfen, und Svartalfheim, die Heimat der Zwerge oder Dunklelfen, sind tief unter der Erde verborgene Welten voller Magie und Handwerk. Vanaheim schließlich ist die Welt der Vanir-Götter, der älteren Geschwister der Aesir, die für ihre Verbundenheit mit der Natur und ihre Fruchtbarkeitskräfte bekannt sind.

Die Reisen der Götter, Helden und anderer Wesen zwischen diesen Welten sind voller Abenteuer, Konflikte und Entdeckungen. Die Geschichten, die in diesen Welten spielen, sind nicht nur spannend und lehrreich, sondern geben auch Einblick in die Werte und Überzeugungen der nordischen Völker. Der Respekt vor der Natur, die Bedeutung von Ehre und Mut sowie das unausweichliche Schicksal, das alle Wesen teilen, sind wiederkehrende Themen, die sich durch die Geschichten ziehen.

Yggdrasil und die neun Welten lehren uns die Komplexität des Lebens und die Bedeutung der Harmonie zwischen den verschiedenen Kräften und Wesen im Universum. Sie erinnern uns daran, dass wir alle Teil eines größeren Ganzen sind, verbunden durch das Netz des Lebens, das sich durch Yggdrasil spannt. Diese Vorstellung bietet eine tiefe und bedeutungsvolle Perspektive auf unser Dasein und unsere Beziehung zur Welt um uns herum. In den Mythen der nordischen Welt finden wir nicht nur Unterhaltung und Abenteuer, sondern auch Weisheit und Inspiration für unser eigenes Leben.

3.1.1 Asgard: Heimat der Götter

Asgard, hoch oben in den Zweigen der Yggdrasil, ist mehr als nur die Heimat der Götter, es ist ein Symbol der Macht, der Weisheit und des Schutzes. In dieser strahlenden Welt, umgeben von unüberwindlichen Mauern, erbaut durch die List des Gottes Loki und die Kraft des riesigen Baumeisters, versammeln sich die Aesir, ein Geschlecht von Göttern und Göttinnen, das die nordische Mythologie prägt. Asgard ist nicht nur ein Ort, sondern ein lebendiges Pantheon von Geschichten, die tief in den Herzen derer verankert sind, die die alten Sagen erzählen und hören.

Im Zentrum von Asgard thront die Halle Odins, Valhalla, die große Halle der Gefallenen, in die die Krieger, die im Kampf ehrenvoll gefallen sind, von den Valkyrien gebracht werden. Diese große und majestätische Halle mit ihren unzähligen Sälen ist ein Ort des ewigen Festes und der Vorbereitung auf Ragnarök, das Ende der Welt, wie es die Mythen vorhersagen. Über Asgard herrscht Odin selbst, der Allvater, der weiseste aller Götter. Er sitzt auf seinem hohen Thron Hlidskjalf, von dem aus er die ganze Welt überblicken kann, immer auf der Suche nach Wissen und Weisheit, um das unausweichliche Schicksal zu verstehen und vielleicht zu beeinflussen.

Aber Asgard ist nicht nur die Heimat Odins, sondern auch vieler anderer bemerkenswerter Götter und Göttinnen, deren Geschichten den Kern der nordischen Mythologie bilden. Da ist Thor, der mächtige Gott des Donners, bekannt für seine Stärke, seinen Mut und seinen unerschütterlichen Hammer Mjölnir, mit dem er die Feinde Asgards, insbesondere die Riesen von Jotunheim, bekämpft. Freya, die Göttin der Liebe, Schönheit und Fruchtbarkeit, wohnt ebenfalls in Asgard in ihrer prächtigen Halle Sessrumnir. Sie ist bekannt für ihre hellseherischen Fähigkeiten und ihr tiefes Wissen über die Magie, die Seidr genannt wird.

Asgard beherbergt auch viele andere bemerkenswerte Orte, wie die Schmieden der Zwerge, die tiefe Brunnen des Wissens bewachen, und idyllische Gärten, die von Göttern und Göttinnen gepflegt werden. Es ist ein Ort, an dem sich das Göttliche und das Magische vermischen, an dem epische Geschichten ihren Anfang nehmen und die Fäden des Schicksals gesponnen werden.

Die Bedeutung von Asgard geht weit über seine Mauern hinaus. Es ist ein Symbol der Ordnung und der Strukturen, die die Welt zusammenhalten, im Gegensatz zu den chaotischen und zerstörerischen Kräften, die von außen kommen, wie die Riesen und andere Wesen, die die Weltordnung herausfordern. Die Konflikte zwischen Asgard und seinen Feinden spiegeln den ewigen Kampf zwischen Ordnung und Chaos, Gut und Böse, Wissen und Unwissen wider.

Die Geschichten von Asgard und seinen Bewohnern sind nicht nur fesselnde Erzählungen von Macht und Heldentum, sondern auch tiefgründige Reflexionen über das menschliche Leben und seine

Herausforderungen. Sie lehren uns die Bedeutung von Mut, Ehre, Opferbereitschaft und Weisheit. Die Götter, obwohl unsterblich und mächtig, sind nicht frei von Fehlern und Schwächen; ihre Kämpfe und Prüfungen erinnern uns daran, dass auch das Göttliche seine Grenzen hat und dass wahre Größe oft in der Fähigkeit liegt, trotz unserer Unzulänglichkeiten zu handeln und zu lieben.

In Asgard, wo die Götter mit dem Schicksal der Welt Schach spielen, werden die tiefsten Fragen des Lebens und der Existenz erforscht. Es ist ein Ort, der uns daran erinnert, dass jede Geschichte, jedes Lied und jedes Opfer Teil eines größeren Ganzen sind, das weit über unsere eigene Welt hinausreicht. Asgard mit seinen strahlenden Hallen und tiefen Geheimnissen bleibt ein leuchtendes Beispiel für die Kraft der Mythen, uns zu inspirieren, uns zu lehren und uns auf unserem Weg zu begleiten.

3.1.2 Midgard: Die Welt der Menschen

Midgard, die Welt der Menschen, ist ein zentrales Reich im kosmischen Geflecht der nordischen Mythologie, inmitten der neun Welten, die auf den Ästen und Wurzeln Yggdrasils ruhen. Diese Welt, umgeben von einem riesigen, unwirtlichen Ozean, auf dem die Midgardschlange Jormungandr liegt und sich in den eigenen Schwanz beißt, ist der Schauplatz für viele der tiefgründigen Geschichten und Lehren, die die nordische Mythologie zu bieten hat. Midgard ist nicht nur die Heimat der Menschen, sondern auch ein Symbol für die

Verletzlichkeit und Stärke des menschlichen Geistes, für das Streben nach Ehre, Weisheit und einem würdigen Leben.

Die Entstehung Midgards ist eine Geschichte von Tod, Verwandlung und Neubeginn. Der Sage nach entstand Midgard aus dem Körper des Riesen Ymir, nachdem dieser von den Göttern Odin, Vili und Ve getötet worden war. Aus seinem Fleisch entstand die Erde, aus seinem Blut die Meere, aus seinen Knochen die Berge und aus seinen Haaren die Bäume. Diese Erzählung spiegelt die tiefe Verbundenheit der Menschen mit der natürlichen Welt wider und erinnert daran, dass Leben oft aus Zerstörung entsteht und dass der Kreislauf von Tod und Wiedergeburt ein grundlegendes Prinzip des Universums ist.

Midgard, durch die Bifrost-Brücke mit Asgard verbunden, ist mehr als eine physische Welt; es ist ein Ort, an dem die menschliche Erfahrung in all ihren Facetten gelebt wird. Hier erleben die Menschen Liebe und Verlust, Freude und Leid, Triumph und Tragödie. Obwohl die Götter in Asgard residieren, sind sie tief mit dem Leben der Menschen verwoben, greifen in ihr Schicksal ein, bieten Schutz, stellen Herausforderungen und lehren wichtige Lektionen. Die Beziehung zwischen Göttern und Menschen ist komplex und vielschichtig, geprägt von gegenseitigem Respekt, aber auch von Spannungen und Missverständnissen.

Die Mythen um Midgard sind reich an Symbolen und Bedeutungen. Sie erzählen von der Notwendigkeit, Mut und Stärke zu zeigen, von der Suche nach Wissen und Weisheit und von der Bedeutung von Gemeinschaft und Zusammenhalt. Die Menschen in Midgard stehen zwar unter dem Einfluss der Götter, sind aber letztlich selbst für ihr Schicksal verantwortlich. Sie müssen lernen, sich den Herausforderungen des Lebens zu stellen, eigene Entscheidungen zu treffen und die Konsequenzen ihres Handelns zu tragen.

Die Geschichten von Midgard lehren uns auch die Zerbrechlichkeit unserer Welt und die Notwendigkeit, sie zu schützen und zu bewahren. Die ständige Bedrohung durch die Riesen Jotunheims und die prophezeite Zerstörung während Ragnarök erinnern uns daran, dass die Ordnung der Welt immer gefährdet ist und dass es die Aufgabe der Menschen ist, für das Gleichgewicht und das Wohlergehen aller Wesen zu sorgen.

Midgard als Welt der Menschen ist ein Spiegel unserer eigenen Wirklichkeit. Die Mythen, die in dieser Welt spielen, sind nicht nur fesselnde Erzählungen aus einer längst vergangenen Zeit, sondern auch tiefgründige Reflexionen über die menschliche Existenz. Sie laden uns ein, über unsere eigene Existenz nachzudenken, über die Werte, die wir hochhalten, über die Entscheidungen, die wir treffen, und über die Spuren, die wir in der Welt hinterlassen wollen.

In der nordischen Mythologie ist Midgard mehr als ein Schauplatz göttlicher Abenteuer; es ist ein Ort, an dem die grundlegenden Fragen des Lebens gestellt werden. Es ist eine Welt, in der der Mensch lernt, in Harmonie mit den Göttern und den anderen Wesen Yggdrasils zu leben, seine eigenen Grenzen zu erkennen und zu überschreiten und schließlich seinen Platz im Kosmos zu finden. Midgard mit all seinen Schönheiten und Gefahren lehrt uns, dass das Leben ein kostbares Geschenk ist, das es zu schätzen und zu verteidigen gilt, und dass unsere Geschichten und Taten noch lange nach uns weiterleben.

3.1.3 Jotunheim: Das Reich der Riesen

Jotunheim, das Reich der Riesen, ist ein wesentlicher Bestandteil der vielschichtigen Welt der nordischen Mythologie. Dieses raue und ungezähmte Land ist die Heimat eines der mächtigsten und ältesten Wesen der kosmischen Ordnung Yggdrasils: der Jötunn, besser bekannt als die Riesen. Weit entfernt von der geordneten Welt Asgards und der vertrauten Erde Midgards liegt Jotunheim jenseits der Flüsse, Berge und tiefen Wälder, die seine Grenzen markieren, und ist Schauplatz zahlreicher Geschichten über Konflikte, Weisheit und die unvermeidliche Verbindung zwischen Göttern und Riesen.

Im Gegensatz zu den oft negativen Darstellungen der Riesen in vielen Kulturen bieten die nordischen Mythen ein komplexeres Bild. Die Jötunn sind nicht einfach nur Gegenspieler der Götter, sondern besitzen ihre eigene Weisheit, Magie und Tugenden. Sie sind die Hüter alter Geheimnisse und uralter Kräfte, die die Welt sowohl erschaffen als auch zerstören können. Ihre Beziehung zu den Göttern unterliegt einem ständigen Wandel - manchmal sind sie Feinde, manchmal

Verbündete, manchmal Lehrer, manchmal Schüler. Diese Dynamik spiegelt die Erkenntnis wider, dass Zerstörung und Schöpfung oft Hand in Hand gehen und dass Weisheit und Stärke in vielen Formen existieren.

Jotunheim selbst ist ein Land extremer Naturphänomene - von eisbedeckten Bergen über reißende Flüsse bis hin zu undurchdringlichen Wäldern. Es ist ein Ort, der die Wildheit und Unberechenbarkeit der Natur verkörpert, ein ständiger Kontrast zur relativen Ordnung und Sicherheit, die man in Asgard und Midgard findet. Die Landschaft von Jotunheim ist atemberaubend schön und gefährlich zugleich, ein perfekter Lebensraum für Wesen, die so mächtig und alt sind wie die Riesen.

Die Geschichten, die sich um Jotunheim ranken, sind voller Abenteuer und Kämpfe, die oft die Grenzen zwischen den Welten überschreiten. Viele Mythen erzählen von den Reisen der Götter, insbesondere von Thor und Odin, nach Jotunheim, sei es auf der Suche nach Weisheit, zur Demonstration ihrer Stärke oder zur Lösung von Konflikten. Diese Reisen sind nicht nur physische Unternehmungen, sondern auch geistige und intellektuelle Herausforderungen, die die Götter zwingen, über ihre eigenen Grenzen hinaus zu denken und oft zu erkennen, dass die Riesen mehr als nur ihre Feinde sind.

Eines der berühmtesten Beispiele für diese komplexe Beziehung ist die Geschichte von Thors Versuch, den Becher der Riesen zu leeren, was sich als unmöglich erweist, da er mit dem Meer verbunden ist. Oder Odins Suche nach der Quelle der Weisheit, Mimir, die am Rande von Jotunheim liegt. Diese Geschichten zeigen, dass Jotunheim und seine Bewohner für das Gleichgewicht der Kräfte in der nordischen Mythologie von entscheidender Bedeutung sind und dass Wissen, Stärke und Weisheit oft an den entlegensten und unwahrscheinlichsten Orten zu finden sind.

Die Riesen selbst sind vielfältige Wesen, einige weise und gütig, andere wild und zerstörerisch. Diese Vielfalt spiegelt die natürliche Welt wider, in der Schönheit und Gefahr oft nebeneinander existieren. Die Riesen stehen für die unbändige Kraft der Natur - eine Kraft, die weder ausschließlich gut noch böse, sondern einfach ist. Sie erinnern uns daran, dass die Welt komplex ist und dass es wichtig ist, über unsere Vorurteile hinauszuschauen und den Wert und die Weisheit in all ihren Formen zu erkennen.

Jotunheim mit seinen tiefen Wäldern, eisigen Gipfeln und uralten Zauberkünsten ist ein lebendiges Zeugnis für die Komplexität der nordischen Mythologie. Es ist ein Reich, das uns daran erinnert, dass es immer noch mehr zu entdecken gibt, dass die Grenzen zwischen Freund und Feind fließend sind und dass wahre Weisheit oft jenseits unserer eigenen Welten und Vorstellungen liegt.

3.1.4 Weitere Welten

Im weitverzweigten Wurzelwerk von Yggdrasil, dem Weltenbaum, liegen neben den bekannteren Reichen wie Asgard, Midgard und Jotunheim weitere, ebenso faszinierende Welten, die zusammen das komplexe und vielschichtige Universum der nordischen Mythologie bilden. Diese Welten - Niflheim, Muspelheim, Helheim, Alfheim, Svartalfheim und Vanaheim - sind für das Gleichgewicht und die Dynamik des kosmischen Lebensbaums von entscheidender Bedeutung und tragen jede auf ihre Weise zur reichen Erzählstruktur der Mythen bei.

Niflheim, oft als das dunkle und kalte Reich beschrieben, ist die Welt des Nebels und des Eises. Es ist eine der ersten beiden Welten, die im leeren Ginnungagap existierten, bevor die Schöpfung begann. Niflheim ist ein Ort extremer Kälte mit eisigen Flüssen und Frostnebeln, die alles durchdringen. In seinem Zentrum liegt die Quelle Hvergelmir, aus der die elf Flüsse Elivagar entspringen, die wiederum das gesamte Universum mit ihrem eiskalten Wasser versorgen. Niflheim ist auch eng mit der Vorstellung von Tod und Vergänglichkeit verbunden, eine Welt, die an die Unausweichlichkeit des Endes erinnert, aber auch an das notwendige Gleichgewicht zwischen Zerstörung und Erneuerung.

Gegenüber von Niflheim liegt Muspelheim, das flammende Reich des Feuers, beherrscht vom Feuergiganten Surtr. Muspelheim ist eine

Welt aus lodernden Flammen und glühender Lava, ein Ort voller Energie und Zerstörungskraft. Die Mythen erzählen, dass das Leben aus dem Zusammentreffen der kalten Nebel Niflheims mit den heißen Flammen Muspelheims entstand, als die ersten Tropfen in Ginnungagap schmolzen und Ymir, der Urriese, geboren wurde. Muspelheim symbolisiert die ungestüme Kraft der Schöpfung und des Wandels, die Fähigkeit, aus Zerstörung neues Leben zu formen.

Helheim, oft einfach Hel genannt, ist die Unterwelt, die von der Göttin Hel, einer Tochter Lokis, regiert wird. Es ist der Ort, an den diejenigen kommen, die nicht im Kampf gefallen sind, um nach Walhalla oder Fólkvangr zu gelangen. Helheim ist kein Ort der Bestrafung, sondern eher eine dunkle und neblige Welt der Toten, in der die Seelen auf das Ende der Welt und die darauf folgende Wiedergeburt warten. Diese Vorstellung von Helheim spiegelt eine tiefere Anerkennung des Kreislaufs von Leben, Tod und Wiedergeburt wider, der allen Wesen Yggdrasils gemeinsam ist.

Alfheim, das Reich der Lichtelfen, ist ein Ort von großer Schönheit und Magie, ein Land des Lichts und des Friedens. Die Lichtelfen gelten als Wesen von großer Weisheit und Güte, die den Menschen und Göttern wohlgesonnen sind. Alfheim symbolisiert die Harmonie mit der Natur und die unberührte Schönheit der Welt, die es zu bewahren und zu schützen gilt.

Svartalfheim, auch bekannt als Niðavellir, ist die Heimat der Zwerge oder Dunkelelfen, meisterhafte Handwerker und Schmiede, die unter der Erde in Höhlen und Minen leben. Die Zwerge sind berühmt für ihre Fähigkeit, mächtige Artefakte und Waffen herzustellen, wie Thors Hammer Mjölnir oder Odins Ring Draupnir. Svartalfheim verkörpert die Tiefen der Erde und die Geheimnisse, die unter der Oberfläche verborgen liegen, sowie die Bedeutung von Handwerk, Wissen und Kreativität.

Vanaheim, die Welt der Vanir-Götter, ist ein fruchtbares und üppiges Reich, das oft mit Natur, Fruchtbarkeit und Wohlstand in Verbindung gebracht wird. Die Vanir, ein Göttergeschlecht, das älter ist als die Aesir von Asgard, sind eng mit den magischen und lebensspendenden Kräften der Natur verbunden. Die Geschichten von Vanaheim und den Vanir betonen die Bedeutung des Gleichgewichts und der Harmonie zwischen Mensch und Natur und erinnern daran, dass wir alle Teil eines größeren, lebendigen Ganzen sind.

Diese Welten, von den eisigen Ebenen Niflheims bis zu den fruchtbaren Feldern Vanaheims, bilden zusammen ein komplexes und vielfältiges Universum, reich an Symbolen, Bedeutungen und Lehren. Jede Welt trägt auf ihre Weise zur Gesamtheit der nordischen Mythologie bei und erinnert uns an die Vielfalt des Daseins, die Notwendigkeit des Gleichgewichts und die tiefe Verbundenheit aller Wesen im Kosmos.

3.2 Die Schöpfungsgeschichte

Die Schöpfungsgeschichte, wie sie in der nordischen Mythologie erzählt wird, ist eine fesselnde Erzählung über den Ursprung der Welt, die aus dem Chaos entstand, und über das Erscheinen der ersten Wesen, die die Leere mit Leben, Struktur und Bedeutung füllten. Diese uralte Geschichte beginnt in Ginnungagap, dem gähnenden Abgrund, einer formlosen Leere, die vor der Schöpfung existierte, einem Ort des reinen Potenzials, wo noch nichts existierte und doch alles möglich war.

Zu beiden Seiten des Ginnungagap lagen die ersten beiden Welten: Niflheim, das Reich des Eises und des Nebels, und Muspelheim, das Land des Feuers und der Hitze. In Niflheim flossen elf eisige Flüsse aus der Quelle Hvergelmir, während Muspelheim unter der Herrschaft von Surtr, dem Feuergiganten, stand, dessen Flammen alles zu verzehren drohten. Diese beiden gegensätzlichen Kräfte - das Eis von Niflheim und das Feuer von Muspelheim - trafen in Ginnungagap aufeinander, und ihr Zusammentreffen war der Funke, der die Welt erschuf.

Als das Eis der Flüsse Niflheims auf die Flammen Muspelheims traf, begann es zu schmelzen und zu tropfen, und aus diesen ersten Wassertropfen bildete sich Ymir, das erste Lebewesen, ein Urriese, aus dessen Körper später die Welt entstehen sollte. Ymir war ein Wesen der Urkraft, aber aus ihm entstanden auch die ersten Ungeheuer, die

Eisriesen, die die kalten und dunklen Seiten der Schöpfung verkörpern sollten.

Neben Ymir entstand Audhumla, die Urkuh, die Ymir mit ihrer Milch nährte. Audhumla leckte an den salzigen Eisblöcken von Ginnungagap, und aus dem Eis entstand Buri, der erste der Aesir-Götter, der Großvater des Allvaters Odin. Buri zeugte einen Sohn, Bor, der wiederum mit der Riesin Bestla drei Söhne zeugte: Odin, Vili und Ve. Diese drei Brüder waren mit der Herrschaft der Riesen und dem Chaos, das sie verbreiteten, unzufrieden und beschlossen, Ymir zu töten und mit seinem Körper eine neue Ordnung zu schaffen.

Mit Ymirs Tod beginnt die eigentliche Schöpfungsgeschichte. Aus seinem Fleisch formten die Götter die Erde, aus seinen Knochen die Berge, aus seinem Blut die Meere und Flüsse. Seine Schädeldecke wurde zum Himmel, gehalten von vier Zwergen, die die Himmelsrichtungen symbolisieren. Aus seiner Gehirnmasse wurden die Wolken und aus seinen Wimpern schufen Odin, Vili und Ve Midgard, die Welt der Menschen, als geschützten Ort inmitten der kosmischen Ordnung.

Diese Schöpfungsgeschichte spiegelt nicht nur die Entstehung der physischen Welt wider, sondern auch die Etablierung einer kosmischen Ordnung und die Rollen der verschiedenen Wesen in dieser Ordnung. Sie erzählt von der Verwandlung des Chaos in den Kosmos, von der Kraft der Gegensätze und ihrer Vereinigung und von der zentralen Rolle der Götter und der Menschen im Gewebe des Universums.

Die nordische Schöpfungsgeschichte ist eine tiefgründige Reflexion über den Ursprung der Welt und die Natur der Existenz. Sie lehrt uns über die Notwendigkeit eines Gleichgewichts zwischen zerstörerischen und schöpferischen Kräften, über die Verbindung zwischen allen Wesen und der Welt, in der sie leben, und darüber, wie aus dem Zusammentreffen von Gegensätzen neues Leben und neue Möglichkeiten entstehen können. Diese uralte Geschichte erinnert uns daran, dass die Welt und alles, was in ihr existiert, aus einer Kette von Ereignissen und Beziehungen entstanden ist, die tief miteinander verwoben sind, und dass jeder von uns ein Teil dieses großen kosmischen Webens ist.

3.3 Ragnarök: Das Schicksal der Götter

Ragnarök, oft als Schicksal oder Untergang der Götter übersetzt, steht im Mittelpunkt der nordischen Mythologie als eine Reihe von Ereignissen, die zu einer apokalyptischen Schlacht führen, in der viele der bekanntesten Götter sterben. Diese Schlacht markiert das Ende der Welt, wie wir sie kennen, gefolgt von der Wiedergeburt der Welt aus den Wassern des Chaos. Die Erzählung von Ragnarök ist nicht nur eine Geschichte vom Ende, sondern auch ein Symbol für den ewigen Kreislauf von Zerstörung und Erneuerung, der das Universum durchzieht.

Die Vorzeichen von Ragnarök sind vielfältig und dramatisch. Sie beginnen mit einer Reihe von Ereignissen, die die Welt in Unordnung stürzen: Drei aufeinanderfolgende Winter, ohne Sommer dazwischen, werden Hunger, Krieg und moralischen Verfall mit sich bringen. Die Wölfe Skoll und Hati, die seit Anbeginn der Zeit die Sonne und den Mond jagen, verschlingen sie schließlich und stürzen die Welt in Dunkelheit. Die Erde wird von gewaltigen Erdbeben erschüttert, die Bäume entwurzeln und Berge zum Einsturz bringen, während sich der Himmel spaltet.

In dieser Zeit der Dunkelheit und des Chaos befreit sich das Schiff Naglfar, das aus den Nägeln der Toten gebaut wurde, um die Heere der Toten unter der Führung des Riesen Hrym in die letzte Schlacht zu führen. Gleichzeitig wird Loki, der Gott der Täuschung, der lange Zeit wegen seiner Vergehen gefesselt war, befreit und führt die Riesen und die Bewohner von Hel gegen die Götter in die Schlacht.

Die Götter, die wissen, was geschehen wird, treffen sich, um ihre Strategie zu planen. Die Einherjer, die gefallenen Krieger, die in Odins Halle Valhalla warten, bereiten sich auf den Kampf vor. Die Felder von Vigrid, wo die letzte Schlacht stattfinden wird, werden zum Schauplatz eines epischen Konflikts zwischen den Mächten der Ordnung und des Chaos.

Viele Götter und Helden fallen in der Schlacht. Odin wird vom Wolf Fenrir verschlungen, Thor tötet die Midgardschlange Jormungandr, stirbt aber an ihrem Gift. Freyr, der auf sein magisches Schwert verzichtet hat, wird vom Feuergiganten Surtr besiegt. Loki und Heimdall töten sich gegenseitig, und die Welt wird von den alles verzehrenden Flammen Surturs verschlungen.

Aber Ragnarök ist nicht das absolute Ende. Es wird prophezeit, dass die Welt aus den Flammen auferstehen wird, frisch und erneuert. Einige Götter werden überleben, darunter Odins Söhne Vidar und Vali sowie Thors Söhne Modi und Magni, die Mjölnir erben. Zwei Menschen, Lif und Lifthrasir, überleben, versteckt in der Weltenesche Yggdrasil, und bevölkern die Erde neu.

Die Geschichte von Ragnarök ist tiefgründig und vielschichtig. Sie verkörpert die nordische Vorstellung vom Universum als einem Ort ständigen Wandels, in dem Tod und Zerstörung notwendige Voraussetzungen für Erneuerung und Wiedergeburt sind. Sie lehrt, dass es selbst in den dunkelsten Zeiten Hoffnung gibt und dass das Ende eines Zyklus nur der Anfang eines neuen ist. Ragnarök ist somit nicht nur eine Geschichte des Endes, sondern auch ein Symbol für die unaufhörliche Erneuerung des Lebens und die unendliche Fortsetzung des kosmischen Kreislaufs.

4. Hauptfiguren der nordischen Mythologie

4.1 Odin: Der Allvater

Odin, der Allvater, steht im Mittelpunkt der nordischen Mythologie, nicht nur als höchster der Götter, sondern auch als komplexe und vielschichtige Figur, die Weisheit, Krieg, Poesie und Magie verkörpert. Seine Gestalt durchdringt die alten Erzählungen mit einer Tiefe und Vieldeutigkeit, die ihn von vielen anderen mythologischen Figuren unterscheidet. Odin ist der Herrscher von Asgard, der Heimat der Götter, und sein Einfluss reicht weit über die Grenzen seines Reiches hinaus in die Herzen und Köpfe der Menschen und Wesen aller neun Welten Yggdrasils.

Odins Streben nach Wissen und Weisheit ist legendär. Es heißt, dass er am Brunnen Mimir sein eigenes Auge opferte, um einen Schluck vom Wasser der Weisheit zu trinken und so tiefe Einsicht in das Universum und das Schicksal selbst zu erlangen. Dieses Opfer symbolisiert Odins unermüdliches Streben nach Wissen und seine Bereitschaft, selbst große Opfer zu bringen, um die Geheimnisse der Welt zu lüften. Es zeigt, dass wahre Erkenntnis oft einen Preis hat und dass Führung und Weisheit mit persönlichen Verlusten und Opfern verbunden sind.

Odin ist auch bekannt für seine Reisen durch die Welten, oft als Wanderer verkleidet, in einen blauen Mantel gehüllt, den breitkrempigen

Hut tief ins Gesicht gezogen, um unerkannt zu bleiben. Diese Reisen sind Ausdruck seines Wissensdurstes, seiner Neugier und seines Wunsches, das Universum und die menschliche Erfahrung aus erster Hand zu verstehen. Durch diese Abenteuer sammelt Odin nicht nur Wissen, sondern greift auch in das Schicksal der Sterblichen und Götter ein, manchmal als Förderer, manchmal als Prüfer ihrer Tugenden und Stärken.

Als Gott des Krieges und der Schlacht ruft Odin die gefallenen Krieger zu sich in die Hallen von Valhalla, wo sie an seiner Seite bis zum Weltuntergang Ragnarök kämpfen sollen. Diese Krieger, die Einherjer, werden von den Walküren, den „Auserwählten der Gefallenen", ausgewählt und nach Valhalla gebracht. Hier zeigt sich eine weitere Dimension von Odins Wesen - seine Rolle als Sammler der Helden und Vorbereiter der letzten Schlacht gegen die Mächte des Chaos. Dies unterstreicht die Bedeutung von Ehre, Mut und Heldentum in der nordischen Kultur und die Überzeugung, dass diese Tugenden über den Tod hinaus Bestand haben.

Odin ist auch eng mit der Magie verbunden, insbesondere mit der Runenmagie und dem Seidr, einer Form der nordischen Schamanenkunst. Er hängte sich, von seinem eigenen Speer durchbohrt, neun Tage und Nächte an Yggdrasil, dem Weltenbaum, auf, um die Geheimnisse der Runen zu erlangen. Dieses Selbstopfer Odins für die Runenmagie ist ein weiteres Beispiel für sein unermüdliches Streben nach Wissen und Macht und seine Bereitschaft, große Schmerzen zu ertragen, um tiefere Einsichten zu gewinnen.

Odin, der Allvater, ist eine Figur von großer Komplexität und Widersprüchlichkeit. Er verkörpert die Sehnsucht nach Wissen, die Unvermeidlichkeit von Opfer und Verlust, die Unausweichlichkeit des Schicksals und die Macht von Magie und Ritual. Seine Geschichten sind tiefgründige Meditationen über Macht, Verantwortung und die Suche nach Verständnis in einer oft rätselhaften und unberechenbaren Welt. Odins Erzählungen lehren uns, dass Weisheit viele Formen annehmen kann, dass Führung Opfer erfordert und dass die größten Einsichten oft am Rande des Verlustes und durch persönliche Herausforderungen gewonnen werden.

4.2 Thor: Der Donnergott

Thor, der Gott des Donners, ist eine der faszinierendsten und mächtigsten Figuren der nordischen Mythologie, bekannt für seine unvergleichliche Kraft, seinen Mut und seinen unerschütterlichen Kampf gegen die Mächte des Chaos und der Zerstörung. Als Sohn Odins und der Erdgöttin Jord steht Thor an vorderster Front im Kampf gegen die Riesen, die ewigen Feinde der Götter und der Ordnung in den neun Welten. Seine Geschichten sind voller Abenteuer, Heldentum und der tiefen Verbindung zwischen den Göttern und den Naturgewalten der Welt.

Thors Waffe, der Hammer Mjölnir, geschmiedet von den Zwergen, den geschicktesten Handwerkern der Götterwelt, ist mehr als nur ein Symbol seiner Macht. Mjölnir, dessen Name „der Zerschmetterer“ bedeutet, hat die einzigartige Fähigkeit, nach seinem Wurf in Thors Hand zurückzukehren. Er ist ein Instrument der Gerechtigkeit, das Berge zerschmettern kann, aber auch Midgard, die Welt der Menschen, beschützt. Der Hammer ist ein Schlüsselelement in vielen Geschichten über Thor, von der Verteidigung Asgards gegen die Riesen bis hin zu subtileren Missionen, die List und Weisheit erfordern.

Thor wird oft als Gott des einfachen Volkes gesehen, der den Herzen der Bauern und Krieger näher steht als andere Götter wie Odin. Seine direkte Art, Probleme zu lösen - oft durch Gewalt und direkte Konfrontation - sowie seine unerschütterliche Loyalität und sein Gerechtigkeitssinn machen ihn zum Liebling der Götter und der Menschen. Thors Verbindung zur Erde und zum Ackerbau, die sich in seiner Mutter Jord widerspiegelt, zeigt sich in der Vorstellung, dass sein Donner nicht nur Zerstörung bringt, sondern auch Regen, der die Felder nährt und das Leben fördert.

Eines der bekanntesten Abenteuer Thors ist seine Reise nach Jotunheim, dem Reich der Riesen, um den Riesen Utgard-Loki herauszufordern. Die Geschichte zeigt nicht nur Thors körperliche Stärke, sondern auch die Grenzen seiner Macht und die List und Magie, die die Riesen gegen ihn einsetzen. Es ist eine Erzählung, die die

Komplexität der Konflikte zwischen den Göttern und ihren Gegnern hervorhebt und Thors Charakter Tiefe und Nuancen verleiht.

Ein weiterer wesentlicher Aspekt von Thors Persönlichkeit ist seine Rolle als Beschützer. Neben Midgard verteidigt er auch die Götter und die kosmische Ordnung gegen die Mächte des Chaos, insbesondere während Ragnarök, der prophezeiten Endschlacht, in der Thor gegen die Midgardschlange Jormungandr kämpft. Dieser Kampf, in dem Thor die Schlange besiegt, aber an ihrem Gift stirbt, symbolisiert den ewigen Kampf zwischen Ordnung und Chaos, Leben und Tod und die zyklische Natur der Welt, in der Ende und Neubeginn untrennbar miteinander verbunden sind.

Thors Geschichten sind durchdrungen von der Erkenntnis der Grenzen der Macht und der Bedeutung von Mut, Entschlossenheit und Opferbereitschaft. Sie lehren, dass wahre Stärke nicht nur in physischer Kraft liegt, sondern auch in der Fähigkeit, für das Richtige einzustehen, selbst wenn die Chancen unüberwindbar scheinen. Thor, der Gott des Donners, bleibt eine der leuchtendsten Figuren der nordischen Mythologie, ein Symbol der Stärke und des Schutzes in einer Welt voller Gefahren und Herausforderungen.

4.3 Freya: Göttin der Liebe und des Krieges

Freya, die Göttin der Liebe, der Schönheit, aber auch des Krieges und der Seidr (eine Form der Magie), ist eine der faszinierendsten und vielschichtigsten Gestalten der nordischen Mythologie. In ihrer Persönlichkeit vereinen sich scheinbar gegensätzliche Aspekte - sie ist sowohl die Verkörperung der zärtlichen Seite der Liebe als auch eine furchteinflößende Kriegerin. Diese Dualität spiegelt die komplexe Natur der Existenz und die tiefe Verbindung zwischen Leidenschaft, Leben und Tod wider.

Freya gehört zu den Vanir, einer Göttergruppe, die mit Natur, Fruchtbarkeit und Reichtum in Verbindung gebracht wird, und kam nach dem Krieg zwischen den Vanir und den Aesir als Geisel nach Asgard, wo sie zu einer angesehenen und mächtigen Figur wurde. Sie lebt im Folkvangr, einem prächtigen Palast in Asgard, wo sie die Hälfte der im Kampf gefallenen Krieger empfängt, während die andere Hälfte zu Odin nach Valhalla geht. Diese Rolle unterstreicht ihre Bedeutung für das Leben nach dem Tod und ihre Macht über das Schicksal der Seelen.

Freya ist auch die unangefochtene Meisterin der Seidr, einer mächtigen und tiefgründigen Magie, die Einsicht in das Schicksal und die Fähigkeit zur Veränderung der Weltordnung verleiht. Ihre Kenntnis der Seidr, die sie auch Odin lehrte, verbindet sie mit den tiefsten Geheimnissen des Universums und macht sie zu einer Schlüsselfigur in den spirituellen Praktiken der nordischen Kultur. Ihre magischen Fähigkeiten und ihre unvergleichliche Schönheit verleihen ihr eine Aura des Geheimnisvollen und Verführerischen.

Einer der bekanntesten Mythen um Freya ist die Geschichte von ihrem Halsband Brisingamen, einem Schmuckstück von unschätzbarer Schönheit, das von Zwergen hergestellt wurde. Um das Halsband zu bekommen, schloss Freya einen Pakt mit den Zwergen, der ihre Bereitschaft zeigt, für das, was ihr lieb und teuer ist, große Opfer zu bringen. Brisingamen ist nicht nur ein Symbol für Freyas Schönheit und Sinnlichkeit, sondern auch für ihre tiefe Verbundenheit mit der Erde und ihren Reichtümern.

Freya wird oft mit ihrem von zwei Katzen gezogenen Wagen dargestellt, ein Bild, das ihre Unabhängigkeit und Stärke unterstreicht. Sie ist auch im Besitz eines Falkenmantels, der es ihr ermöglicht, in die Gestalt eines Falken zu schlüpfen und durch die neun Welten zu reisen. Diese Attribute und ihr Wissen um die Seidr machen Freya zu einer Göttin, die Grenzen überwinden kann, sowohl im physischen als auch im metaphysischen Sinne.

Trotz ihrer Assoziation mit Liebe und Schönheit ist Freya auch eine Kriegerin, die in der Schlacht an der Seite der gefallenen Krieger steht. Diese Rolle als Beschützerin und Kämpferin verbindet sie mit den grundlegenden Lebenskräften des Universums - Geburt, Tod und

Wiedergeburt - und zeigt, dass Liebe und Krieg, Schönheit und Zerstörung zum ewigen Kreislauf des Lebens gehören.

Freya, die Göttin der Liebe und des Krieges, verkörpert die untrennbare Verbindung zwischen den tiefsten Gefühlen des Herzens und den unausweichlichen Realitäten des Lebens. Ihre Geschichten lehren uns die Kraft der Leidenschaft, die Bedeutung des Opfers und die unendliche Komplexität menschlicher und göttlicher Erfahrung. Sie ist ein Symbol für die unerschöpfliche Vitalität des Lebens, die Fähigkeit zur Verwandlung und die ewige Suche nach Schönheit und Sinn in der Welt.

4.4 Loki: Der Trickster

Loki, der Trickster, ist eine der faszinierendsten und ambivalentesten Gestalten der nordischen Mythologie. Sein Charakter ist von Widersprüchen geprägt: Er ist Helfer und Herausforderer der Götter, Problemverursacher und Lösungsfinder zugleich. Loki, der Sohn eines Riesen, ist kein Gott im klassischen Sinne, aber durch verschiedene Geschichten und Intrigen ist er zu einem untrennbaren Teil der Götterwelt von Asgard geworden.

Lokis Rolle als Trickster macht ihn zu einem Meister der Täuschung, der Verwandlung und des Betrugs. Er besitzt die Fähigkeit, jede beliebige Gestalt anzunehmen, sei es die eines Tieres, eines Menschen oder sogar der Götter und Göttinnen. Diese Gabe setzt er geschickt ein, um seine Ziele zu erreichen, Chaos zu stiften oder, in seltenen Fällen, größeres Unheil abzuwenden. Trotz seiner Neigung zu Schabernack und Täuschung kann Loki nicht einfach als böse abgetan werden. Seine Taten haben oft tiefgreifende Folgen, die die Ordnung der Welt und das Schicksal der Götter beeinflussen.

Eines der bekanntesten Beispiele für Lokis Fähigkeit, sowohl Chaos als auch Lösungen zu schaffen, ist die Geschichte von Thors Hammer Mjölnir. Als Loki den Riesen erlaubt, Thors Hammer zu stehlen, setzt er eine Kette von Ereignissen in Gang, die zu seiner Wiederbeschaffung führen, indem er sich selbst in eine Situation bringt, aus der nur er einen Ausweg weiß. Diese Geschichten offenbaren Lokis komplexe Natur: Er ist sowohl die Ursache von Problemen als auch der Schlüssel zu ihrer Lösung.

Ebenso komplex sind Lokis Beziehungen zu den anderen Göttern. Während er mit Odin durch die Blutsbrüderschaft eng verbunden ist und mit Thor viele Abenteuer erlebt, bringt ihn seine Unberechenbarkeit und sein Hang zum Betrug oft in Konflikt mit ihnen. Seine Fähigkeit, Chaos zu stiften, gepaart mit seinem scharfen Verstand und seiner Redegewandtheit, machen ihn zu einem gefürchteten, aber auch notwendigen Teil der göttlichen Ordnung.

Trotz seiner Streiche und seiner oft zweifelhaften Moral spielt Loki eine entscheidende Rolle in der nordischen Mythologie, insbesondere im Hinblick auf Ragnarök, das Schicksal der Götter. Seine Taten tragen direkt zu den Ereignissen bei, die zum Untergang der Welt führen. Nachdem er in einen Skandal verwickelt ist, der zum Tod von Baldur, einem der beliebtesten Götter, führt, wird Loki von den anderen Göttern bestraft und gefesselt. Doch seine Befreiung und die Rolle, die er und seine Nachkommen in der letzten Schlacht spielen, bezeugen seinen unauslöschlichen Einfluss auf das Schicksal der Götter und der Welt.

Loki steht für die Unvorhersehbarkeit des Lebens und die Notwendigkeit, die Dualität der Existenz zu akzeptieren. Er erinnert uns daran, dass die Welt nicht in einfache Kategorien von Gut und Böse eingeteilt werden kann und dass die Quelle des Chaos oft auch die Quelle von Kreativität, Veränderung und neuer Ordnung ist. In seiner Vielschichtigkeit verkörpert Loki die grundlegenden menschlichen Erfahrungen von Konflikt, Anpassungsfähigkeit und der Suche nach einem Platz in der Welt.

Lokis Geschichten sind ein lebendiger Teil der nordischen Mythologie und bieten tiefe Einblicke in die menschliche Natur. Sie zeigen, dass Wissen, Weisheit und die Fähigkeit, die Welt zu verändern, oft von denen kommen, die außerhalb der konventionellen Ordnung stehen. Loki fordert uns heraus, über unsere eigenen Vorstellungen von Moral, Gerechtigkeit und der Rolle des Individuums im Kosmos nachzudenken.

4.5 Weitere Gottheiten und ihre Geschichten

Die nordische Mythologie ist reich an Gottheiten und Fabelwesen, die alle ihre eigenen Geschichten, Aufgabenbereiche und Lehren haben. Neben den bekannten Figuren wie Odin, Thor und Freya gibt es eine Vielzahl weiterer Götter und Göttinnen, deren Geschichten das lebendige und komplexe Pantheon dieser alten Glaubenswelt bereichern.

Balder, der Sohn von Odin und Frigg, gilt als der strahlendste und beliebteste unter den Göttern. Seine Geschichte ist eine der tragischsten der nordischen Mythologie. Balder beginnt von seinem eigenen Tod zu träumen, woraufhin seine Mutter Frigg allen Dingen in den neun Welten schwört, ihm niemals etwas anzutun. Doch Loki, der Trickster, findet eine Lücke in Friggs Schutzzauber: den Mistelzweig. Er bringt Balders blinden Bruder Hod dazu, einen Pfeil aus Mistelzweigen zu werfen, der Balder tötet. Balders Tod markiert den Beginn der Ereignisse, die schließlich zu Ragnarök führen. Seine Geschichte symbolisiert die Zerbrechlichkeit des Guten und die Unausweichlichkeit des Schicksals, selbst für die reinsten und geliebtesten Wesen.

Tyr, der Gott des Krieges und der Gerechtigkeit, ist ein weiteres Beispiel für die tiefen moralischen und ethischen Themen der nordischen Mythologie. Am bekanntesten ist er für seine Rolle in der Sage vom Fenriswolf, einem monströsen Wolf, dem große Zerstörung vorhergesagt wurde. Als die Götter beschlossen, den Wolf zu fesseln, war Tyr der einzige, der mutig genug war, seine Hand als Zeichen des Vertrauens in das Maul des Wolfes zu legen, während die anderen Götter die Fesseln anlegten. Als der Wolf merkte, dass er betrogen wurde, biss er Tyr die Hand ab. Tyrs Opfer symbolisiert die Bedeutung von Mut und die Bereitschaft, persönliche Opfer für das Allgemeinwohl zu bringen.

Freyr, Bruder von Freya und ebenfalls Mitglied der Vanir, ist der Gott der Fruchtbarkeit, des Wohlstands und des Friedens. Seine Geschichten betonen die Bedeutung von Fruchtbarkeit und Wachstum, sowohl im physischen als auch im spirituellen Sinne. Eine der bekanntesten Geschichten über Freyr ist seine Liebe zu Gerðr, einer Riesin, und wie weit er ging, um ihre Zuneigung zu gewinnen, einschließlich des Verzichts auf sein magisches Schwert, das für ihn in Ragnarök kämpfen sollte. Freyrs Geschichte lehrt uns die Kraft der Liebe und die manchmal schmerzhaften Kompromisse, die sie erfordern kann.

Heimdall, der Wächter der Götter, bekannt für seine scharfen Augen und Ohren, bewacht die Bifröst-Brücke, die Asgard mit den anderen Welten verbindet. Sein Horn, das Gjallarhorn, wird eines Tages ertönen, um die Götter und Einherjer zu Ragnarök zu rufen. Heimdalls Wachsamkeit und seine Rolle als Wächter unterstreichen die Themen Wachsamkeit, Pflicht und ständige Wachsamkeit gegenüber den Mächten des Chaos.

Idun, die Hüterin der goldenen Äpfel der Jugend, deren Früchte den Göttern ewige Jugend verleihen, spielt eine entscheidende Rolle bei der Aufrechterhaltung der Vitalität der Götterwelt. Ihre Entführung durch einen Riesen, aus der sie schließlich von Loki gerettet wird, unterstreicht die Bedeutung von Jugend und Erneuerung, aber auch die Gefahren, die entstehen, wenn diese lebenswichtigen Gaben bedroht werden.

Diese Götter und Göttinnen weben zusammen mit vielen anderen Wesen und Helden der nordischen Mythologie ein reiches Gewebe von Geschichten, in denen es um Liebe, Verlust, Verrat, Opfer und Wiedergeburt geht. Ihre Geschichten sind mehr als nur alte Mythen, sie sind tiefgründige Reflexionen über die menschliche Natur und die ewige Suche nach Sinn, Gerechtigkeit und Harmonie in einer Welt des Wandels und der Unsicherheit. Durch ihre vielfältigen und komplexen Charaktere bietet die nordische Mythologie einen tiefen Einblick in die Werte und Überzeugungen der skandinavischen Vorfahren, deren Echo bis in unsere Zeit reicht.

5. Mythische Wesen und Orte

5.1 Die Nornen: Schicksalsweberinnen

In der tiefgründigen und facettenreichen Welt der nordischen Mythologie nehmen die Nornen eine zentrale Stellung ein. Sie sind die Schicksalsweberinnen, geheimnisvolle und mächtige Wesen, die am Brunnen Urðarbrunnr am Fuße der Weltenesche Yggdrasil leben. Ihre Aufgabe ist es, das Schicksal aller Wesen, von Göttern und Menschen bis hin zu den kleinsten Geschöpfen Midgards und den mächtigen Bewohnern Asgards, zu weben und zu hüten. Die Nornen, die gewöhnlich als die drei Schwestern Urðr (Vergangenheit), Verðandi (Gegenwart) und Skuld (Zukunft) dargestellt werden, symbolisieren die Unausweichlichkeit des Schicksals und die tief verwobenen Fäden des Lebens, die sich durch die Zeit ziehen.

Die Nornen sind nicht nur passive Beobachterinnen, sondern aktive Gestalterinnen des Universums. Jeden Tag schöpfen sie Wasser aus dem heiligen Brunnen und gießen es auf Yggdrasil, damit der Baum nicht austrocknet oder verwelkt. Dieses Wasser, vermischt mit dem Schlamm, der den Brunnen umgibt, gibt Yggdrasil Lebenskraft und sorgt dafür, dass sie weiterhin als Stütze des Universums dient. Diese Handlung symbolisiert die Erneuerung und die ständige Pflege, die notwendig sind, um das Gleichgewicht und die Ordnung der Welt aufrechtzuerhalten.

Die Rolle der Nornen beim Weben des Schicksals wird oft als Darstellung der Unausweichlichkeit des Lebens und der Zeit gesehen. Jedes Wesen ist an seinen eigenen Lebensfaden gebunden, der von der Geburt bis zum Tod reicht, und obwohl die genaue Beschaffenheit dieses Fadens von den Handlungen und Entscheidungen des Einzelnen beeinflusst wird, liegt das endgültige Schicksal in den Händen der Nornen. Diese Vorstellung unterstreicht die Bedeutung von Schicksal und Vorsehung in der nordischen Weltanschauung und erinnert uns daran, dass das Leben ein komplexes Gewebe aus Wahl und Bestimmung ist.

Trotz ihrer entscheidenden Rolle im Kosmos sind die Nornen geheimnisvolle Gestalten, deren Ursprung und wahre Natur Gegenstand von Spekulationen und Interpretationen sind. Einige Quellen legen nahe, dass sie jenseits der Götter stehen, vielleicht sogar älter als diese sind, was ihre Macht und ihr Wissen noch mysteriöser und beeindruckender macht. Ihre Anwesenheit bei der Geburt jedes Menschen und jedes Gottes, wo sie das Schicksal des Neugeborenen bestimmen, zeigt ihre tiefe Verbundenheit mit dem Gewebe des Lebens und der Weltgeschichte.

Die Geschichten der Nornen lehren uns die Komplexität des Daseins und die vielfältigen Kräfte, die unser Leben formen. Sie erinnern uns daran, dass unsere Entscheidungen und Handlungen in den größeren Kontext des Universums eingebettet sind, beeinflusst von Vergangenheit und Gegenwart und mit ungewissen Auswirkungen auf die

Zukunft. Gleichzeitig betonen sie die Notwendigkeit, das Leben mit Würde und Mut zu leben, in dem Bewusstsein, dass das Schicksal sowohl unvermeidbare Herausforderungen als auch unerwartete Chancen mit sich bringt.

Die Nornen als Schicksalsweberinnen sind ein kraftvolles Symbol für die unausweichliche Verflechtung von Zeit, Leben und Schicksal. Ihre Erzählungen geben einen tiefen Einblick in die nordische Weltsicht, die das Leben als ein komplexes, aber wunderschönes Muster sieht, das von unsichtbaren Händen in einem endlosen Tanz aus Licht und Schatten gewebt wird. In ihrem Dasein und Wirken spiegeln sich die zeitlosen Fragen nach dem Sinn des Lebens, der Natur des Universums und unserer Rolle in diesem großen, unendlichen Gewebe wider.

5.2 Valkyrien: Die Wählerinnen der Gefallenen

Die Valkyrien, auch bekannt als die Auserwählten der Gefallenen, sind eine Gruppe von Kriegsgöttinnen der nordischen Mythologie, deren Aufgabe es ist, die tapfersten und würdigsten Krieger, die auf dem Schlachtfeld gefallen sind, auszuwählen und sie nach Valhalla zu führen. Diese himmlische Halle, die vom Allvater Odin regiert wird, dient als eine Art Kriegerparadies, in dem die Auserwählten darauf warten, an der Seite der Götter in der entscheidenden Schlacht von Ragnarök zu kämpfen. Die Valkyrien reiten durch die Lüfte und über die Schlachtfelder, oft begleitet von Raben, auf der Suche nach denen, die ein ehrenvolles Ende gefunden haben, um sie in die Welt der Götter zu geleiten.

Die Existenz der Valkyrien spiegelt die tief verwurzelten kulturellen Werte der nordischen Gesellschaft wider, insbesondere die Bedeutung von Mut, Ehre und der Ehre, im Kampf zu fallen. Sie symbolisieren den Übergang zwischen Leben und Tod, zwischen irdischer und göttlicher Existenz. In vielen Darstellungen werden sie als furchtlose und schöne Kriegerinnen beschrieben, die Ehrfurcht und Bewunderung hervorrufen. Ihre Schönheit und Stärke sind jedoch nicht nur äußerlich, sondern sie besitzen auch tiefes Wissen und Weisheit, was sie zu mächtigen und respektierten Figuren in der nordischen Mythologie macht.

Die Rolle der Valkyrien beschränkt sich nicht auf die Auswahl der Gefallenen. In einigen Erzählungen dienen sie auch als Boten der Götter, führen die Seelen der Verstorbenen und bieten den Göttern und Einherjern in Walhall ihre Dienste an. Ihre Verbindung zu den Raben, die oft als Symbole des Todes und der Wiedergeburt gelten, unterstreicht ihre Funktion als Mittler zwischen den Welten.

Die wohl bekannteste Valkyrien ist Brynhildr, die Hauptfigur der Völsunga-Saga und anderer verwandter Erzählungen. Ihre Geschichte, die von Liebe, Verrat und Tragödie erzählt, zeigt die komplexen Beziehungen und Schicksale, die nicht nur die Menschen, sondern auch die Götter und die Valkyrien selbst betreffen. Brynhildrs

Schicksal ist eng mit dem des Helden Sigurd (Siegfried) verbunden, dessen tragische Liebesgeschichte zu den bewegendsten Momenten der nordischen Literatur zählt.

Die Präsenz der Valkyrien in der Mythologie erinnert auch an die unvermeidliche Präsenz des Todes im Leben und an die Möglichkeit, durch Taten Ehre und Unsterblichkeit zu erlangen. Ihre Taten symbolisieren den Kreislauf von Leben, Tod und Wiedergeburt und die Vorstellung, dass der Tod nicht das Ende, sondern eine Verwandlung und der Beginn einer neuen Existenz ist.

Darüber hinaus spiegeln die Valkyrien die ambivalente Natur der nordischen Weltanschauung wider, die sowohl die dunklen als auch die hellen Seiten des Daseins umfasst. Sie verkörpern die Erkenntnis, dass Schönheit und Grausamkeit, Freude und Leid, Ehre und Verlust im Leben eng miteinander verwoben sind. Ihre Geschichten lehren uns, dass Mut und Ehre über den Tod hinaus Bestand haben und dass das Leben trotz seiner Vergänglichkeit die Chance bietet, Werte zu leben, die über unsere eigene Existenz hinausreichen.

So sind die Valkyrien mit ihrer majestätischen Präsenz und ihrer tiefen symbolischen Bedeutung nicht nur Hüterinnen der kriegerischen Ethik und Mittlerinnen zwischen den Welten, sondern auch Trägerinnen der Hoffnung, dass aus dem Ende neues Leben und aus dem Tod Unsterblichkeit erwachsen kann. Sie sind Teil des reichen Gemäldes der nordischen Mythologie, ein Spiegel der tiefen menschlichen Sehnsucht nach Bedeutung, Ehre und einem Platz in der ewigen Geschichte des Universums.

5.3 Drachen und Schlangen: Jormungandr und Fafnir

In der vielschichtigen und symbolträchtigen Welt der nordischen Mythologie nehmen Drachen und Schlangen eine besondere Stellung ein. Sie sind Wesen von großer Macht und tiefer Bedeutung, verkörpern die Urkräfte der Natur, der Zerstörung, aber auch der Verwandlung und Erneuerung. Zwei der bekanntesten dieser Wesen sind Jormungandr, die Midgardschlange, und Fafnir, der Drache, der einst ein Mensch war. Beide Figuren faszinieren durch ihre Geschichten, die zentrale Themen der nordischen Mythologie wie Gier, Heldentum, Schicksal und die unausweichliche Konfrontation mit dem Tod beleuchten.

Jormungandr, eines der Kinder Lokis, ist so groß, dass es die ganze Welt umspannt, und lebt in den Meeren Midgards, den eigenen Schwanz im Mund. Ihre Größe und Position symbolisieren die allumfassende Verbundenheit aller Dinge sowie die zyklische Natur der Zeit und des Schicksals. Die Midgardschlange steht in direktem Gegensatz zu Thor, dem Gott des Donners, und ihre Konflikte sind legendär. Eine der bekanntesten Begegnungen zwischen Thor und Jormungandr ist der Fischzug, bei dem Thor beinahe die Schlange aus dem Meer gezogen hätte, was katastrophale Folgen für die Welt gehabt hätte. Die letzte Schlacht Ragnarök prophezeit schließlich ihren letzten Kampf, in dem sie sich gegenseitig töten werden. Jormungandr steht für die chaotischen und zerstörerischen Kräfte der Natur, die erschreckend, aber für das Gleichgewicht der Welt notwendig sind.

Fafnir hingegen war ursprünglich ein Mensch, ein mächtiger Krieger, der durch den verfluchten Schatz des Zwergenkönigs Hreidmar in einen Drachen verwandelt wurde. Seine Gier verwandelte ihn in eine monströse Kreatur, die auf dem Goldschatz lag und jeden tötete, der es wagte, sich ihm zu nähern. Fafnir verkörpert die dunklen Seiten der menschlichen Natur: Gier, Neid und die Korruption durch Macht. Seine Geschichte ist eng mit der Sage von Sigurd (oder Siegfried) verbunden, dem Helden, der Fafnir tötet und den Fluch des Schatzes auf sich nimmt. Die Geschichte von Fafnir zeigt die Gefahren des materiellen Reichtums und die verändernde Kraft der Habgier, die den Menschen entmenschlichen und in ein Monster verwandeln kann.

Beide Geschichten, die von Jormungandr und die von Fafnir, sind tief in der kosmischen Ordnung der nordischen Welt verwurzelt. Sie erzählen vom ewigen Kampf zwischen Ordnung und Chaos, vom Heldentum im Angesicht übermächtiger Gegner und von der Suche nach Sinn und Identität in einer Welt, die von Kräften beherrscht wird, die weit über das menschliche Verständnis hinausgehen. Diese Mythen spiegeln die grundlegenden Ängste und Hoffnungen der

Menschen wider, ihre Auseinandersetzung mit der Natur, der Gesellschaft und ihren eigenen inneren Dämonen.

Jormungandr und Fafnir sind nicht einfach Antagonisten oder Monster. Sie sind vielschichtige Symbole, die wichtige Aspekte der menschlichen Existenz und der natürlichen Welt verkörpern. Ihre Geschichten lehren uns die Unausweichlichkeit des Schicksals, die Notwendigkeit von Mut und die Gefahren, die entstehen, wenn wir uns von unseren niederen Instinkten leiten lassen. Sie erinnern uns daran, dass im Herzen der Dunkelheit oft wichtige Wahrheiten und Lektionen zu finden sind, die uns helfen, zu wachsen und uns als Individuen und als Gemeinschaft weiterzuentwickeln.

In der nordischen Mythologie sind Drachen und Schlangen daher mehr als nur Fabelwesen. Sie sind tiefgründige Symbole, die die Komplexität der Welt und die vielfältigen Herausforderungen widerspiegeln, denen wir im Laufe unseres Lebens begegnen. Die Geschichten von Jormungandr und Fafnir laden uns ein, über die Natur des Bösen, die Kraft der Transformation und die endlose Suche nach Wissen und Verständnis nachzudenken.

5.4 Die Bedeutung mythischer Orte

In der nordischen Mythologie sind Orte nicht nur physische Gegebenheiten, sondern tragen eine tiefe symbolische Bedeutung, die die kosmischen Gesetze, kulturellen Werte und spirituellen

Überzeugungen der altnordischen Gesellschaft widerspiegeln. Diese mythischen Orte dienen als Schauplatz für die Geschichten von Göttern, Riesen, Menschen und anderen Wesen, die in diesem reichen mythologischen Geflecht agieren. Sie sind Schauplätze von Schöpfung und Zerstörung, von tiefgreifenden Veränderungen und ewigen Kreisläufen des Lebens. Wenn wir einige dieser Orte näher betrachten, können wir die Bedeutung und den Einfluss der nordischen Mythologie auf das Verständnis der Welt und der menschlichen Existenz erkennen.

Yggdrasil, die Weltenesche, steht im Mittelpunkt der nordischen kosmologischen Vorstellung. Dieser riesige Baum verbindet die neun Welten der Mythologie und symbolisiert die Einheit des Universums. Yggdrasil ist mehr als nur ein Baum, sie ist ein lebendiges Wesen, das Leid und Freude, Gesundheit und Verfall durchlebt. Seine Wurzeln reichen tief in die Unterwelt, während seine Äste bis in die himmlischen Sphären reichen. Die Existenz von Yggdrasil erinnert uns an die tiefe Verbundenheit aller Dinge, an die Kreisläufe des Lebens und an die Notwendigkeit, die natürliche Ordnung zu bewahren.

Asgard, die Heimat der Aesir-Götter, ist ein Ort des Schutzes und der Gemeinschaft. Umgeben von unüberwindlichen Mauern symbolisiert Asgard die Ideale der Gesellschaft: Ordnung, Gerechtigkeit und das Streben nach Wissen und Weisheit. Hier befinden sich majestätische Hallen wie Walhalla und Sessrumnir, die den gefallenen Kriegern und ehrenwerten Seelen Zuflucht bieten. Asgard steht für die höchsten menschlichen Bestrebungen und die Suche nach Harmonie im Kosmos.

Midgard, die Welt der Menschen, ist durch die Bifröst-Brücke mit Asgard verbunden. Midgard, umgeben von einem riesigen Ozean und bewohnt von Menschen, symbolisiert die menschliche Erfahrung mit all ihren Herausforderungen, Freuden und Leiden. Midgard ist der Ort, an dem sich das Drama des Lebens abspielt und unterstreicht die Bedeutung des menschlichen Strebens nach Ehre, Mut und Weisheit.

Jotunheim, das Reich der Riesen, steht für das Wilde und Ungezähmte in der Natur und die ständige Bedrohung durch Kräfte, die sich der menschlichen Kontrolle entziehen. Die Beziehung zwischen den Bewohnern Asgards und Jotunheims spiegelt das ewige Spannungsfeld zwischen Ordnung und Chaos, Kultur und Natur wider, das im Mittelpunkt der menschlichen Existenz steht.

Niflheim und Muspelheim, die Reiche des Eises und des Feuers, symbolisieren die kosmischen Urkräfte der Zerstörung und der Schöpfung. Ihr Zusammentreffen führte zur Entstehung der Welt und veranschaulicht das dynamische Gleichgewicht, das das Universum durchdringt.

Helheim, die Unterwelt, ist der Ort, an den diejenigen gelangen, die nicht im Kampf gefallen sind. Helheim, regiert von der Göttin Hel, ist ein Ort der Reflexion über Tod und Wiedergeburt, über das Ende der physischen Existenz und die Möglichkeit, in einer anderen Form weiterzuleben.

Diese mythischen Orte sind mehr als nur Schauplätze für die Abenteuer von Göttern und Helden; sie sind tiefgründige Symbole, die Einblicke in das Weltbild, die ethischen Vorstellungen und den spirituellen Glauben der nordischen Völker gewähren. Sie lehren uns die Komplexität des Lebens, die untrennbare Verbindung zwischen der natürlichen Welt und der menschlichen Kultur und die ewigen Fragen nach Schicksal, Freiheit und dem Sinn unseres Daseins. Die Geschichten, die sich in und um diese Orte ranken, spiegeln die Ängste, Hoffnungen und Träume einer Kultur wider, die tief mit den Rhythmen der Natur und den Geheimnissen des Lebens verbunden ist.

5.4.1 Valhalla: Halle der Gefallenen

Valhalla, die Halle der Gefallenen, ist ein zentraler und faszinierender Ort in der nordischen Mythologie. Sie wird von Odin, dem Allvater, regiert, liegt in Asgard, der Welt der Götter, und dient als ewige Heimat für die im Kampf gefallenen Krieger, die von den Valkyrien auserwählt wurden. Diese Krieger, Einherjer genannt, bereiten sich in Walhall auf die letzte Schlacht Ragnarök vor, in der sie an der Seite der Götter gegen die Mächte des Chaos kämpfen. Walhalla ist nicht nur ein Ort der Ehre und des Ruhmes, sondern auch ein Symbol für die tiefen Werte der nordischen Kultur: Mut, Ehre und die Unausweichlichkeit des Schicksals.

Die Architektur von Valhalla wird als majestätisch und weitläufig beschrieben, mit Wänden aus Speeren, einem Dach aus Schilden und mit Brustpanzern bedeckten Bänken. Diese kriegerischen Elemente unterstreichen die Funktion von Valhalla als Begräbnisstätte für gefallene Helden. Im Inneren der Halle tafeln die Einherjer täglich, bedient von den Valkyrien, und das Fleisch des immer wieder auferstehenden Ebers Saehrimnir sowie der Met aus dem Euter der Ziege Heidrun sorgen dafür, dass ihnen nie die Nahrung ausgeht. Täglich ziehen sie in die Umgebung Valhallas, um sich im Kampf zu messen und ihre Fähigkeiten für Ragnarök zu schärfen, nur um am Abend wieder gesund und munter zu sein.

Diese endlose Routine aus Kampf und Festmahl in Valhalla spiegelt die Kriegerkultur der Wikinger wider, in der Tapferkeit im Kampf und Treue bis in den Tod als höchste Tugenden galten. Der Glaube, dass ein ehrenhafter Tod im Kampf den Weg nach Walhalla ebnet, war tief in der Kriegerethik verankert und motivierte die Krieger, ohne Furcht zu kämpfen. Sie verlieh der Vorstellung von Krieg und Tod einen tieferen Sinn, indem sie den Tod nicht als Ende, sondern als Beginn einer neuen Existenz in Odins glorreicher Halle darstellte.

Walhalla ist auch ein tiefes Symbol für die Konzepte von Tod und Wiedergeburt, die in der nordischen Mythologie eine zentrale Rolle spielen. Die Einherjer, die jeden Tag sterben und wiedergeboren werden, um zu feiern und zu kämpfen, verkörpern den zyklischen

Charakter des Lebens und den Glauben an ein Leben nach dem Tod, das von Ehre und Heldentum geprägt ist. Diese Vorstellung bietet Trost und eine Perspektive auf Leben und Tod, die stark von Hoffnung und dem Glauben an eine höhere Ordnung und Bedeutung geprägt ist.

Darüber hinaus spiegelt Walhalla die enge Verbindung zwischen Göttern und Menschen im nordischen Weltbild wider. Die Wahl der Einherjer durch die Valkyrien und ihre Rolle in der kosmischen Schlacht von Ragnarök verstärkt die Vorstellung, dass das Schicksal der Welt eine gemeinsame Anstrengung von Göttern und Menschen erfordert. Es unterstreicht die Überzeugung, dass Taten im Leben über den Tod hinaus wirken und dass wahre Größe im Angesicht der Unausweichlichkeit des Schicksals erreicht wird.

Walhalla ist daher mehr als nur ein mythologischer Ort; es ist ein Ort, der die tiefsten Sehnsüchte, Werte und Überzeugungen der nordischen Kultur verkörpert. Sie ist ein Spiegel der menschlichen Auseinandersetzung mit dem Tod, ein Symbol der Hoffnung auf Ruhm und Ehre im Jenseits und ein Zeugnis des unerschütterlichen Glaubens an die Bedeutung von Mut und Heldentum.

5.4.2 Helheim: Die Unterwelt

Helheim, oft auch nur Hel genannt, ist in der nordischen Mythologie die Unterwelt und letzte Ruhestätte derer, die nicht im Kampf gefallen sind. Im Gegensatz zur glorreichen Valhalla, die die gefallenen Krieger empfängt, ist Helheim der Ort für diejenigen, deren Tod als gewöhnlich oder unehrenhaft angesehen wird. Diese Unterscheidung zwischen den Toten unterstreicht die tief verwurzelten kulturellen Werte der Wikinger, die Ehre im Kampf und einen heldenhaften Tod als wesentliche Bestandteile des Lebens und des Jenseits betrachteten.

Beherrscht von Hel, der Tochter Lokis und der Riesin Angrboda, wird Helheim oft als düster und kalt beschrieben, was die rauen und unbarmherzigen Aspekte der nordischen Landschaft widerspiegelt. Hel selbst wird als Göttin dargestellt, deren Erscheinung sowohl lebendige als auch tote Züge aufweist, was ihre Herrschaft über Leben und Tod symbolisiert. Ihr Reich liegt tief in den neun Welten, abgeschieden von den lebendigen Reichen, ein Ort, an dem die Seelen der Verstorbenen weder Qualen erleiden noch Freuden genießen, sondern in einer Art Schattenexistenz verharren.

Die Vorstellung von Helheim spiegelt die nordische Vorstellung von Tod und Jenseits wider. Es ist nicht unbedingt ein Ort der Bestrafung, wie in vielen anderen religiösen Traditionen, sondern eher ein Ort der Stille und Endgültigkeit. Die Existenz von Helheim unterstreicht die Bedeutung des Lebens und der Taten, die im Leben vollbracht werden, da sie das Schicksal im Jenseits bestimmen. Der Weg nach Helheim wird oft als schwierig und beschwerlich beschrieben, was die Reise der Seele vom Leben zum Tod und darüber hinaus symbolisiert.

Interessanterweise zeigt die Existenz von Helheim und seine Unterscheidung von Walhalla die Komplexität des nordischen Weltbildes. Während Krieger und Helden für ihre Tapferkeit mit einem Platz in Valhalla belohnt werden, ist Helheim ein Zufluchtsort für diejenigen, die ein anderes Schicksal erleiden. Diese Dualität im Jenseits spiegelt die Vielfalt menschlicher Erfahrungen und die Erkenntnis wider, dass nicht jeder Tod durch die Brille des Heldentums betrachtet werden kann.

Helheim trägt auch zu einer reichen mythologischen Erzählung bei, indem es als Schauplatz für verschiedene Geschichten und Legenden dient, in denen Götter und Sterbliche mit der Endlichkeit des Lebens und den Mysterien des Todes konfrontiert werden. Die Reisen von Göttern oder Helden nach Helheim, um Verstorbene zurückzuholen oder Rat und Wissen zu erlangen, sind ein immer wiederkehrendes Thema, das die untrennbare Verbindung zwischen den Reichen der Lebenden und der Toten sowie die unüberwindbare Barriere, die der Tod darstellt, unterstreicht.

Helheim und seine Herrscherin Hel sind somit wesentliche Bestandteile der nordischen Mythologie, die tiefe Einblicke in die Vorstellungen von Tod, Jenseits und Schicksal gewähren. Sie erinnern uns an die Unausweichlichkeit des Todes und an die Bedeutung der Taten im Leben. Die Erzählungen um Helheim regen die Zuhörer und Leser an, über das Leben, den Wert der Ehre und die Unausweichlichkeit des Schicksals nachzudenken, das jeden erwartet, unabhängig von Rang und Stand. Helheim ist nicht nur eine mythologische Unterwelt, sondern auch ein Spiegel der menschlichen Seele, ihrer Ängste und Hoffnungen und ihres unaufhörlichen Strebens, das Unbekannte zu verstehen.

6. Themen & Werte der nordischen Mythologie

6.1 Ehre, Schicksal und Heldentum

In der tiefgründigen Welt der nordischen Mythologie sind die Konzepte von Ehre, Schicksal und Heldentum eng miteinander verwoben und bilden den Kern der moralischen und ethischen Vorstellungen der altnordischen Gesellschaften. Diese Ideale sind nicht nur zentrale Themen in den Erzählungen über Götter, Helden und gewöhnliche Menschen, sondern auch Leitprinzipien, die das tägliche Leben und die Weltanschauung der Wikinger beeinflussten. Sie spiegeln eine Kultur wider, in der die Beziehung zwischen individuellem Handeln, vorherbestimmtem Schicksal und den Werten der Gemeinschaft tiefgreifende Fragen über das Wesen der Existenz und die Suche nach Sinn aufwirft.

In der nordischen Mythologie ist Ehre eng mit dem Konzept des Ruhmes verbunden, der durch Taten im Leben und insbesondere im Kampf erworben wird. Sie ist ein komplexes Konstrukt, das sowohl die persönliche Integrität als auch den Beitrag zum Wohlergehen der Gemeinschaft umfasst. Ehre wird nicht als statischer Zustand betrachtet, sondern als etwas, das durch Taten erworben, bewahrt und verloren werden kann. In mythologischen Erzählungen stehen die Figuren oft vor Entscheidungen, die ihre Ehre und ihren Platz in der Gesellschaft und in der Geschichte bestimmen. Der Wunsch, ehrenvoll zu leben und zu sterben, motiviert Götter und Menschen gleichermaßen, sich Herausforderungen zu stellen, die oft übermenschlichen Mut und Opfer erfordern.

Schicksal oder "Wyrd", wie es in der nordischen Mythologie genannt wird, spielt eine zentrale Rolle im Verständnis des Lebensweges eines jeden Wesens. Es wird oft als ein von den Nornen gewebtes Netz oder Gewebe dargestellt und symbolisiert das komplexe Geflecht von Ursache und Wirkung, Entscheidung und Vorherbestimmung. Während das Schicksal als unausweichlich angesehen wird, betont die nordische Mythologie auch die Bedeutung der persönlichen Wahl und des freien Willens innerhalb des vorgegebenen Rahmens. Die Helden der Sagen, wie Sigurd der Drachentöter oder der weise König Ragnar Lodbrok, sind bekannt für ihre Entschlossenheit, ihr Schicksal aktiv zu gestalten, auch wenn ihr Ende vorherbestimmt ist. Diese Spannung zwischen Schicksal und freiem Willen unterstreicht die

Überzeugung, dass Ehre und Heldentum in der Art und Weise liegen, wie der Einzelne mit seinem Schicksal umgeht.

Heldentum, das eng mit den Begriffen Ehre und Schicksal verbunden ist, wird in der nordischen Mythologie nicht nur durch körperliche Stärke oder Mut im Kampf definiert. Wahres Heldentum beinhaltet auch Weisheit, die Fähigkeit, das Wohl der Gemeinschaft über das eigene zu stellen, und die Treue zu persönlichen Idealen und Bindungen. Die nordischen Heldengeschichten sind voll von komplexen Charakteren, deren Heldentaten oft mit persönlichen Opfern und einer tiefen Auseinandersetzung mit moralischen und ethischen Dilemmata einhergehen. Diese Helden verkörpern die Ideale der nordischen Kultur und dienen als Vorbilder für den Umgang mit den Unwägbarkeiten des Lebens und dem unvermeidlichen Schicksal.

Die Verflechtung von Ehre, Schicksal und Heldentum in der nordischen Mythologie bietet eine reiche Perspektive auf die menschliche Natur und die Suche nach Sinn in einer unbeständigen Welt. Diese Konzepte lehren uns die Werte von Tapferkeit, Loyalität und persönlicher Integrität, die in den Geschichten von Göttern und Helden verewigt sind. Sie erinnern uns daran, dass das Streben nach einem ehrenhaften Leben und die Art und Weise, wie wir unserem Schicksal begegnen, die wahre Größe unseres Charakters und unseres Erbes bestimmen. In diesen alten Erzählungen finden wir nicht nur Unterhaltung, sondern auch tiefe Einsichten in die ewige menschliche

Suche nach Sinn, Verbundenheit und einem Platz in der Geschichte des Kosmos.

6.2 Natur und ihre Zyklen

Die nordische Mythologie ist tief in einem Weltbild verwurzelt, in dem die Natur und ihre Kreisläufe eine zentrale Rolle spielen. Diese alten Erzählungen spiegeln eine tiefe Verbundenheit und ein intuitives Verständnis der natürlichen Ordnung wider, die das Leben der Menschen in den skandinavischen Ländern seit jeher geprägt haben. Die zyklischen Muster von Wachstum, Tod und Wiedergeburt, die in der Natur zu beobachten sind, finden sich in den Mythen wieder und bieten Einblicke in die universellen Gesetze des Lebens, die sowohl die menschliche Existenz als auch die der Götter und aller Wesen auf Yggdrasil durchdringen.

Die Bedeutung der Naturkreisläufe wird besonders deutlich im Bild von Yggdrasil, der Weltenesche. Dieser kosmische Baum verbindet die neun Welten der nordischen Kosmologie und symbolisiert die lebenserhaltenden Kräfte der Natur, aber auch die unausweichliche Vergänglichkeit allen Seins. Yggdrasil selbst durchläuft Zyklen des Wachsens und Vergehens, ihre Blätter welken und treiben wieder aus, was die ewige Erneuerung des Lebens symbolisiert. Die regelmäßige Pflege durch die Nornen, die Wasser aus dem Urðarbrunnr schöpfen, um den Baum zu nähren, unterstreicht die Bedeutung der Fürsorge für die Natur und die Anerkennung ihrer grundlegenden Rolle im kosmischen Gleichgewicht.

Der Wechsel der Jahreszeiten, der in der nordischen Mythologie oft personifiziert wird, ist ein weiteres Beispiel für die tiefe Verbundenheit mit der Natur. Der unerbittliche Zyklus von Frühling, Sommer, Herbst und Winter spiegelt die Lebenszyklen wider und wird in den Mythen oft als Spiel zwischen den Göttern dargestellt, deren Handlungen die Veränderungen in der natürlichen Welt beeinflussen. Die Geschichten von Freyr, dem Gott der Fruchtbarkeit und des Wachstums, und Skadi, der Göttin des Winters und der Jagd, veranschaulichen die Dynamik der Jahreszeiten und ihre Auswirkungen auf das menschliche Leben und die Umwelt.

Die nordischen Mythen erzählen auch von Ragnarök, dem Ende der Welt, das als ultimativer Ausdruck der Naturzyklen interpretiert werden kann. Diese apokalyptische Vision, in der die Welt durch Feuer und Wasser zerstört wird, nur um aus der Asche neu zu entstehen, verkörpert die Idee der Zerstörung als notwendigen Schritt zur Schaffung von Neuem. Ragnarök ist nicht nur das Ende, sondern auch der Beginn eines neuen Zyklus, in dem die Welt verjüngt und gereinigt aus der Katastrophe hervorgeht. Diese Vorstellung von Tod und Wiedergeburt als integrale Bestandteile des Lebenszyklus unterstreicht die Akzeptanz des Wandels als wesentliches Element der Existenz.

Darüber hinaus reflektieren die Mythen die Rolle des Menschen innerhalb der natürlichen Ordnung. Geschichten von Helden, die gegen Riesen (Naturgewalten) kämpfen, oder von Göttern, die die Elemente lenken, zeigen den Wunsch des Menschen, die Natur zu verstehen und zu beeinflussen. Gleichzeitig erinnern sie uns an unsere Grenzen und die Notwendigkeit, im Einklang mit den Gesetzen der Natur zu leben.

Die nordische Mythologie ist daher eine reiche Quelle an Weisheit über die Beziehung zwischen Mensch und Natur, über die Bedeutung von Respekt und Ehrfurcht vor den natürlichen Kreisläufen und über die Erkenntnis, dass das Leben ein ständiger Fluss zwischen Entstehen und Vergehen ist. Diese alten Erzählungen lehren uns, die Schönheit und Brutalität der Natur zu respektieren, die Vergänglichkeit des Seins zu akzeptieren und die zyklische Natur des Universums als grundlegenden Aspekt unserer eigenen Existenz zu begreifen.

6.3 Magie und Ritual: Seidr und Runen

In der reichen und komplexen Welt der nordischen Mythologie spielen Magie und Ritual eine zentrale Rolle, wobei Seidr und Runenmagie zwei der wichtigsten und geheimnisvollsten Praktiken darstellen. Diese alten Formen spiritueller Praxis und Zauberkunst bieten einen tiefen Einblick in die kulturellen und spirituellen Vorstellungen der nordischen Völker, ihre Sicht des Universums und ihre Interaktion mit den kosmischen Kräften.

Seidr ist eine Form der nordischen Magie, die eng mit Trance, Prophezeiung und Schicksalsweben verbunden ist. Sie ist tief in der schamanischen Tradition verwurzelt und wurde oft von Seherinnen (Volvas) praktiziert, die in Trance fallen und durch die Welten reisen konnten, um Wissen und Weisheit zu erlangen. Diese Fähigkeit, zwischen den Welten zu reisen und Einblick in das Netz des Schicksals zu erhalten, machte Seidr zu einer mächtigen und oft gefürchteten Kunst. Seidr wurde für verschiedene Zwecke eingesetzt, darunter Heilung, Schutz, Beeinflussung des Wetters und des Ausgangs von Schlachten sowie das Weben von Flüchen und Segnungen.

Die Praxis des Seidr wird oft mit der Göttin Freya in Verbindung gebracht, die als eine der wichtigsten Schutzpatroninnen dieser Kunst gilt. Sie lehrte Odin, den Allvater, die Geheimnisse des Seidr, was die Bedeutung und Macht dieser magischen Praxis unterstreicht. Die Tatsache, dass ein Gott von so hohem Rang die Kunst des Seidr von einer Göttin erlernt, zeigt die Anerkennung weiblicher Macht und Weisheit in der nordischen Kultur.

Die Runenmagie ist eine weitere zentrale Praxis innerhalb der nordischen Mythologie, die auf der Verwendung von Runen basiert - Zeichen mit tiefer symbolischer Bedeutung, die sowohl als Alphabet als auch als magische Symbole verwendet wurden. Man glaubte, dass die Runen die wesentlichen Kräfte und Gesetze des Kosmos verkörperten, und ihre Verwendung reichte von der Weissagung und dem Schutz bis hin zur Herstellung von Gegenständen mit magischen

Eigenschaften. Die Runen sind eng mit der Vorstellung von Schicksal und der Macht des gesprochenen Wortes verbunden, was ihre Verwendung zu einem Akt der Ko-Kreation mit den kosmischen Kräften macht.

Odin selbst wird mit der Entdeckung der Runen in Verbindung gebracht, nachdem er sich neun Tage und Nächte ohne Nahrung und Wasser an Yggdrasil, der Weltenesche, aufgehängt hatte, um das Geheimnis der Runen zu ergründen. Diese Geschichte unterstreicht nicht nur die Bedeutung der Runen im nordischen Weltbild, sondern auch das immer wiederkehrende Motiv des Opfers für Weisheit und Macht.

Sowohl Seidr als auch Runenmagie spiegeln die tiefe Verbundenheit der nordischen Völker mit der natürlichen und übernatürlichen Welt wider. Diese Praktiken sind Ausdruck des Glaubens an eine Welt, die von unsichtbaren Kräften durchdrungen und durch ein komplexes Netz von Beziehungen und Abhängigkeiten strukturiert ist. Sie zeigen, dass Wissen und Macht in dieser Kultur nicht nur durch physische Stärke oder politischen Einfluss erlangt wurden, sondern auch durch die Fähigkeit, mit den tieferen Strömungen der Realität zu kommunizieren und diese zu beeinflussen.

Magie und Ritual in der nordischen Mythologie sind daher weit mehr als bloßer Aberglaube oder primitive Versuche, die Natur zu beherrschen. Sie sind vielmehr Ausdruck einer tiefen spirituellen Weisheit und eines Verständnisses für die Komplexität des Lebens. Seidr und Runenmagie ermöglichten es den nordischen Völkern, mit der sie umgebenden Welt in Dialog zu treten, ihr Schicksal zu weben und zu verstehen und so einen Weg durch das Labyrinth des Daseins zu finden.

6.4 Die Rolle der Frauen

Die nordische Mythologie, reich an Erzählungen und Symbolik, bietet eine faszinierende Perspektive auf die Rolle der Frau in der mythologischen und sozialen Welt der Wikingerzeit. Die Frauenfiguren in diesen alten Sagen sind vielfältig und komplex, von Göttinnen mit großer Macht und Einfluss bis hin zu menschlichen Heldinnen, deren Taten und Schicksale tief in das Gewebe der Mythen eingewoben sind. Diese Figuren spiegeln nicht nur die kulturellen Normen und Werte der nordischen Gesellschaft wider, sondern stellen diese auch in Frage und erweitern sie, indem sie Frauen als zentrale Akteure innerhalb der kosmischen Ordnung und der menschlichen Gemeinschaft darstellen.

Göttinnen wie Freya, Frigg, Skadi und Idun sind nicht nur Nebenfiguren im Pantheon der nordischen Götterwelt, sondern haben ihre eigenen Bereiche, Geschichten und Anhänger. Freya zum Beispiel ist nicht nur die Göttin der Liebe und Schönheit, sondern auch des Krieges und des Todes, was sie zu einer der mächtigsten Figuren der Mythologie macht. Ihre Rolle als Anführerin der Valkyrien, die die

Krieger für Valhalla auswählten, und ihre Beherrschung der Seidr-Magie unterstreichen ihre Stellung als eine Figur, die aktiv am Schicksal der Welt teilnimmt.

Frigg, die Gattin Odins, ist die Schutzpatronin der Ehe und des Hauses, aber ihre Macht geht weit über diese traditionellen Grenzen hinaus. Als Mutter von Balder und als Göttin mit tiefem Wissen über das Schicksal spielt Frigg eine zentrale Rolle in den Prophezeiungen und Ereignissen, die zu Ragnarök führen. Ihre Versuche, das Schicksal ihres Sohnes zu ändern, zeigen ihre tiefe emotionale Verbundenheit und ihre aktive Teilnahme am kosmischen Geschehen.

Skadi, die Göttin der Jagd und des Winters, steht für die wilde, ungezähmte Seite der Natur und die Fähigkeit, sich in einer von Männern dominierten Welt zu behaupten. Ihre Geschichte der Vermählung mit Njord und der anschließenden Trennung aufgrund unvereinbarer Lebenswelten - Meer und Gebirge - symbolisiert die Suche nach Autonomie und Identität jenseits vorgegebener Rollen.

Idun, die Hüterin der goldenen Äpfel der Unsterblichkeit, deren Entführung durch einen Riesen eine Krise unter den Göttern auslöst, veranschaulicht die wesentliche Rolle der Frauen bei der Aufrechterhaltung des kosmischen Gleichgewichts und der Lebenskraft. Ihre Geschichte unterstreicht die Bedeutung von Weisheit und Fürsorge, die weit über körperliche Stärke hinausgeht.

Neben diesen göttlichen Figuren gibt es in der nordischen Mythologie zahlreiche menschliche Heldinnen, deren Taten, Entschlossenheit und Intelligenz sie zu unvergesslichen Gestalten machen. Diese Frauen, die oft als Schildmaiden an der Seite der Männer in die Schlacht ziehen oder als weise Frauen mit tiefem Wissen über Magie und Heilkunst dargestellt werden, brechen mit den traditionellen Geschlechterrollen und vermitteln ein Bild von weiblicher Stärke und Unabhängigkeit.

Die Darstellung der Frau in der nordischen Mythologie ist also komplex und vielschichtig, voller Nuancen und Widersprüche, die die reale Stellung der Frau in der Wikingerzeit widerspiegeln. Diese Figuren zeigen, dass Frauen aktiv am Schicksal der Welt teilhaben, sei es durch Macht, Weisheit, List oder reine Entschlossenheit. Ihre Geschichten erweitern unser Verständnis von Heldentum, Macht und Einfluss und erinnern uns daran, dass der Beitrag von Frauen zur Geschichte und Mythologie unverzichtbar und tiefgreifend ist.

7. Historischer Kontext Nordischer Mythologie

7.1 Die Wikinger und ihre Gesellschaft

Die Wikinger, die oft als furchtlose Seefahrer und Krieger dargestellt werden, waren in Wirklichkeit eine viel facettenreichere Gesellschaft, deren Kultur, Sozialstruktur und Lebensweise einen tiefen Einblick in das mittelalterliche Skandinavien gewähren. Die Wikingerzeit, die sich grob vom Ende des 8. bis zum 11. Jahrhundert erstreckt, war eine Epoche der Expansion, des Handels und der Entdeckungen, die weit über die brutalen Raubzüge hinausging, für die die Wikinger berüchtigt sind. Ihre Gesellschaft war komplex und organisiert, mit einem reichen kulturellen Erbe, das sich in ihren Mythen, ihrer Kunst und ihrem täglichen Leben widerspiegelt.

Die soziale Struktur der Wikinger war in verschiedene Klassen unterteilt, an deren Spitze die Jarls (Adlige) standen, gefolgt von den freien Bauern oder Karls, die den Großteil der Bevölkerung ausmachten, und schließlich den Thralls (Sklaven), die durch Kriegszüge oder Handel erworben wurden. Diese soziale Hierarchie beeinflusste alle Aspekte des täglichen Lebens, von der Landwirtschaft und dem Handwerk bis hin zur Kriegsführung und dem Rechtssystem. Trotz der klaren sozialen Schichtung gab es aber auch Möglichkeiten zum sozialen Aufstieg, insbesondere durch Heldentaten in der Schlacht oder durch erfolgreichen Handel.

Die Wikinger waren nicht nur Krieger, sondern auch geschickte Handwerker, Bauern und Händler. Ihre Fähigkeit, langlebige Schiffe zu bauen, ermöglichte es ihnen, weite Strecken über die Meere zurückzulegen, neue Gebiete zu erkunden und Handelsnetze aufzubauen, die von Nordamerika bis in den Nahen Osten reichten. Diese Handelsbeziehungen führten zu einem kulturellen Austausch, der die Wikingerkultur bereicherte und ihren Einfluss auf andere Kulturen ausübte.

Die Religion spielte im Leben der Wikinger eine zentrale Rolle. Ihr polytheistisches Glaubenssystem mit Göttern wie Odin, Thor und Freya war tief in ihrem Weltbild verwurzelt und beeinflusste ihre Ethik, ihre Kunst und ihre Rituale. Blot (Opferfeste), Seidr (Magie) und Ahnenverehrung waren wichtige Bestandteile ihrer spirituellen Praxis, die nicht nur den Göttern huldigte, sondern auch den Zusammenhalt der Gemeinschaft stärkte.

Auch das Rechtssystem der Wikinger war fortschrittlich. Das Thing, eine Versammlung freier Männer, diente als Forum zur Schlichtung von Streitigkeiten, zur Verkündung von Gesetzen und zur Wahl von Anführern. Diese frühe Form demokratischer Selbstverwaltung zeigt, dass die Wikinger eine Gesellschaft waren, die Wert auf Recht und Ordnung legte, und nicht die gesetzlosen Barbaren, als die sie oft dargestellt werden.

Die Rolle der Frau in der Wikingergesellschaft war im Vergleich zu anderen mittelalterlichen Kulturen bemerkenswert fortschrittlich. Frauen besaßen Rechte, konnten erben und waren häufig in Handel und Handwerk tätig. Sagas und archäologische Funde belegen, dass einige Frauen sogar Kriegerinnen oder Seefahrerinnen waren, obwohl diese Rollen nicht die Norm waren.

Die Kunst und Literatur der Wikinger, von kunstvoll verzierten Waffen und Schmuck bis hin zu epischen Sagas und Skaldengedichten, zeugen von einer tiefen Wertschätzung für Ästhetik, Geschichte und die Macht des gesprochenen Wortes. Diese kulturellen Ausdrucksformen dienten nicht nur der Dekoration oder Unterhaltung, sondern auch der Weitergabe von Wissen, Werten und der eigenen Identität von Generation zu Generation.

Zusammenfassend lässt sich sagen, dass die Wikingergesellschaft eine komplexe und dynamische Kultur war, die sich durch ihre Anpassungsfähigkeit, ihren Gemeinschaftssinn und ihre tief verwurzelten spirituellen Überzeugungen auszeichnete. Ihre Geschichte und Mythologie bieten wertvolle Einblicke in eine Welt, die sowohl rau als auch reich an kulturellen Schätzen war, und erinnern uns daran, dass die Wikinger viel mehr waren als die stereotypen Bilder von plündernden Kriegern suggerieren.

7.2 Archäologische Funde und ihre Bedeutung

Archäologische Funde, die im Laufe der Jahre in den skandinavischen Ländern und weit darüber hinaus gemacht wurden, haben unser Verständnis der nordischen Mythologie und der Wikingergesellschaft erheblich erweitert. Diese Artefakte, von kunstvoll gestaltetem Schmuck über Waffen und Werkzeuge bis hin zu Schiffen und Siedlungsresten, geben uns einen direkten Einblick in das Leben, die Kultur und den spirituellen Glauben der nordischen Völker. Sie sind stumme Zeugen einer vergangenen Epoche, die dennoch eine lebendige Geschichte erzählen und uns helfen, die Welt der Wikinger und ihrer Götter besser zu verstehen.

Eines der herausragendsten Beispiele sind die Runensteine, die in ganz Skandinavien und in den ehemaligen Gebieten der Wikinger gefunden wurden. Diese Steine, oft mit Inschriften in älterer oder jüngerer Runenschrift, dienten verschiedenen Zwecken, unter anderem als Gedenksteine, Grenzmarkierungen oder sogar als literarische Werke. Die Texte auf den Runensteinen reichen von einfachen Namensnennungen und Widmungen an verstorbene Angehörige bis hin zu Berichten über Heldentaten, Reisen und Handelsbeziehungen. Durch die Analyse dieser Inschriften konnten wertvolle Informationen über die Sprache, die sozialen Strukturen und die Verbreitung der nordischen Kultur gewonnen werden.

Ein weiterer wichtiger Fund sind Schiffsgräber, wie sie zum Beispiel in Oseberg und Gokstad in Norwegen entdeckt wurden. Diese Gräber, in denen Schiffe zusammen mit verschiedenen Beigaben wie Waffen, Werkzeugen, Haushaltsgegenständen und sogar ganzen Wagen bestattet wurden, geben Aufschluss über Bestattungsrituale und den Glauben an ein Leben nach dem Tod. Die meisterhaft gebauten und reich verzierten Schiffe selbst zeugen von den außergewöhnlichen Fähigkeiten der Wikinger im Schiffbau und ihrer engen Verbundenheit mit dem Meer.

Die Funde von Schmuck und Amuletten, oft mit Motiven und Symbolen aus der nordischen Mythologie wie Thors Hammer, Odins Raben Hugin und Munin oder der Valknut, geben Einblick in religiöse Praktiken und Glaubensvorstellungen. Diese Objekte waren nicht nur Schmuck, sondern dienten auch als Schutzamulette oder als Zeichen der Zugehörigkeit zu bestimmten Glaubensrichtungen.

Darüber hinaus haben archäologische Ausgrabungen von Siedlungen und Kultplätzen unser Wissen über das Alltagsleben, die landwirtschaftlichen Praktiken und die kultischen Handlungen der Wikinger vertieft. Die Entdeckung von Gebäuden, die als Höfe dienten, von Werkstätten, in denen Handwerker ihre Kunst ausübten, und von Kultplätzen, an denen rituelle Handlungen stattfanden, ermöglicht es, die soziale Organisation und das spirituelle Leben der nordischen Gesellschaften zu rekonstruieren.

Die archäologischen Funde und ihre Bedeutung gehen weit über die bloße Faszination vergangener Zeiten hinaus. Sie sind wesentlich für das Verständnis der kulturellen Identität Skandinaviens und der Verbreitung seiner Kultur durch Handel, Eroberung und kulturellen Austausch. Jedes Artefakt, jeder Runenstein und jedes Grab erzählt eine Geschichte, die uns hilft, die Vergangenheit zu rekonstruieren und die tiefen Verbindungen zwischen der nordischen Mythologie, der Gesellschaft der Wikinger und unserer eigenen Zeit zu erkennen. In ihrer Stille sprechen diese Funde zu uns, eröffnen neue Perspektiven auf eine Welt, die uns zugleich fremd und vertraut erscheint, und laden uns ein, die Komplexität und Vielfalt menschlicher Kulturen zu würdigen.

7.3 Die Christianisierung Skandinaviens

Die Christianisierung Skandinaviens, ein Prozess, der sich über mehrere Jahrhunderte erstreckte, markierte einen tiefgreifenden Einschnitt in die Geschichte und Kultur der nordischen Völker. Die allmähliche Einführung des Christentums, die im 8. Jahrhundert begann und sich bis ins 12. Jahrhundert hinzog, führte zu tiefgreifenden Veränderungen in der religiösen Praxis, den sozialen Strukturen, der Kunst und der Literatur. Dieser Wandel war nicht nur das Ergebnis friedlicher Missionierung, sondern auch politischer Machtkämpfe, kultureller Anpassungen und nicht selten gewaltsamer Auseinandersetzungen.

Die Christianisierung begann an den Küsten Skandinaviens, wo Handels- und Kriegszüge direkte Kontakte zu den christlichen Kulturen Europas ermöglichten. Missionare aus England und dem Frankenreich spielten eine wichtige Rolle bei der Verbreitung des neuen Glaubens, oft unterstützt von skandinavischen Herrschern, die im Christentum ein Mittel sahen, ihre Macht zu festigen und ihre Herrschaft zu legitimieren. Die Taufe von Königen wie Harald Schönhaar in Norwegen oder Harald Blauzahn in Dänemark markierte den Beginn der offiziellen Annahme des Christentums und den allmählichen Übergang von alten Göttern und Praktiken zu einer neuen religiösen Ordnung.

Die Einführung des Christentums führte zu tiefgreifenden Veränderungen in der religiösen Landschaft Skandinaviens. Alte Kultstätten und Tempel wurden entweder zerstört oder in christliche Kirchen umgewandelt. Die alten Götter und ihre Mythen traten mehr und mehr in den Hintergrund, obwohl viele ihrer Elemente und Feste in das christliche Brauchtum integriert wurden, um der Bevölkerung den Übergang zu erleichtern. Ostern (Ostara) und Weihnachten (Yule) sind Beispiele für solche Synkretismen, bei denen heidnische Feste und Rituale christliche Bedeutungen erhielten.

Die Christianisierung hatte auch tiefgreifende soziale und politische Folgen. Die neue Religion brachte neue Gesetze und Moralvorstellungen mit sich, die das Fundament der skandinavischen Gesellschaften veränderten. Das Christentum betonte die Einheit der Gläubigen und förderte die Entstehung zentralisierter Herrschaftsformen, was zur Bildung stabilerer und hierarchisch organisierter Staaten führte. Die Kirche wurde zu einer mächtigen institutionellen Kraft, die nicht nur religiöse, sondern auch weltliche Macht ausübte.

Auf kultureller Ebene führte die Christianisierung zur Entstehung einer reichen kirchlichen Kunst und Architektur, wie sie in den Stabkirchen und den kunstvollen Schriften und Illuminationen der mittelalterlichen Handschriften zum Ausdruck kommt. Die Runenschrift wurde allmählich durch das lateinische Alphabet ersetzt, was die Schriftkultur veränderte und den Weg für die Entstehung der skandinavischen Literatur in der Landessprache ebnete. Die Sagas, die oft von vorchristlichen Themen und Helden handeln, wurden in der Regel in christlicher Zeit geschrieben und spiegeln somit die Verschmelzung von heidnischem und christlichem Weltbild wider.

Trotz der tiefgreifenden Veränderungen, die die Christianisierung mit sich brachte, blieben viele Aspekte der alten Glaubensvorstellungen und Praktiken im Volksbrauchtum erhalten. Feste, Legenden und Glaubensvorstellungen, die tief in der nordischen Seele verwurzelt waren, lebten in abgewandelter Form weiter und zeugen von der engen Verflechtung von alter und neuer Identität.

Die Christianisierung Skandinaviens ist somit ein komplexes Kapitel der Geschichte, das von Konflikt und Anpassung, Verlust und Bewahrung, Wandel und Kontinuität zeugt. Sie zeigt, wie tief religiöse

Überzeugungen die Gesellschaft prägen können und wie sich im Laufe der Zeit neue und alte Traditionen zu einer reichen und vielschichtigen kulturellen Identität verweben.

8. Moderne Rezeption und Einfluss

8.1 Nordische Mythologie in der Literatur

Die nordische Mythologie hat die Literatur seit Jahrhunderten inspiriert und beeinflusst, von den altnordischen Sagas und Eddas über die mittelalterliche Dichtung bis hin zur modernen Fantasy-Literatur. Diese uralten Geschichten von Göttern, Riesen, Helden und magischen Welten boten eine reiche Quelle für Autoren verschiedener Epochen und Genres. Die Faszination der nordischen Mythologie in der Literatur spiegelt eine tiefe Auseinandersetzung mit Themen wie Schicksal, Ehre, Kampf und Sinnsuche in einer von göttlichen und natürlichen Kräften beherrschten Welt wider.

Die altnordischen Sagas und Eddas enthalten die ursprünglichen Geschichten der nordischen Mythologie. Die poetische Edda und die Prosa-Edda, die im 13. Jahrhundert zusammengestellt wurden, sind Sammlungen von Gedichten und Erzählungen, die die Mythen von Odin, Thor, Loki und vielen anderen Göttern und Heldengestalten bewahren. Diese Werke sind nicht nur literarische Meisterwerke, sondern auch wertvolle Quellen für das Verständnis des Glaubens, der sozialen Strukturen und der Weltanschauung der Wikingerzeit.

Im Mittelalter und in der frühen Neuzeit inspirierten die nordischen Mythen zahlreiche Dichter und Schriftsteller in ganz Europa. Die Isländersagas, Erzählungen über die Abenteuer und das Leben der nordischen Siedler und ihrer Nachkommen, verweben historische Ereignisse mit Elementen der Mythologie und geben einen Einblick in das heroische Zeitalter Skandinaviens. Diese Texte zeugen von der anhaltenden Präsenz und Anpassungsfähigkeit der nordischen Mythologie, auch nachdem das Christentum in Skandinavien Fuß gefasst hatte.

In der Romantik des 19. Jahrhunderts erlebte die Begeisterung für die nordische Mythologie eine Renaissance. Künstler und Schriftsteller sahen in den alten Göttergeschichten und Heldensagen eine Inspirationsquelle, die im Kontrast zur klassischen Antike stand. Richard Wagners Opernzyklus "Der Ring des Nibelungen" ist ein herausragendes Beispiel dafür, wie die nordische Mythologie die Kunst dieser Epoche prägte. Wagners Werk, das lose auf den Eddas und der Völsunga-Saga basiert, zeigt die zeitlose Anziehungskraft dieser Geschichten und ihre Fähigkeit, tiefe menschliche Erfahrungen und Konflikte auszudrücken.

Im 20. und 21. Jahrhundert hat die nordische Mythologie einen festen Platz in der Fantasy-Literatur gefunden. J.R.R. Tolkien, dessen Werke wie "Der Herr der Ringe" und "Der Hobbit" von der nordischen Mythologie beeinflusst sind, hat wesentlich dazu beigetragen, diese alten Geschichten in die moderne Populärkultur zu bringen. Tolkiens Schöpfung von Mittelerde und seinen Bewohnern spiegelt die komplexe Welt der nordischen Mythen wider, einschließlich der Konzepte von Schicksal, Heldentum und dem Kampf zwischen Gut und Böse.

In jüngerer Zeit haben Autoren wie Neil Gaiman mit "Nordic Myths and Legends" und Rick Riordan mit seiner "Magnus Chase"-Reihe die nordische Mythologie für ein modernes Publikum neu interpretiert. Diese Werke, die die alten Geschichten in einen modernen Kontext stellen oder sie durch die Augen zeitgenössischer Figuren neu erzählen, zeigen, dass die nordische Mythologie nach wie vor eine lebendige Quelle der Inspiration und des kulturellen Austauschs ist.

Die Präsenz der nordischen Mythologie in der Literatur unterstreicht ihre anhaltende Bedeutung und Faszination. Diese Geschichten, die tief in der menschlichen Erfahrung verwurzelt sind, sprechen universelle Themen an, die über Zeitalter und Kulturen hinweg Resonanz finden. Die von diesen uralten Mythen beeinflusste Literatur bietet nicht nur Unterhaltung und Flucht aus dem Alltag, sondern auch die Möglichkeit, sich mit den tieferen Fragen von Leben, Tod, Ehre und Schicksal auseinanderzusetzen.

8.2 Darstellung in Film und Fernsehen

Die Darstellung der nordischen Mythologie in Film und Fernsehen hat in den letzten Jahrzehnten erheblich zugenommen, was das anhaltende Interesse und die Faszination für diese alten Geschichten und Figuren widerspiegelt. Diese visuellen Medien haben die Möglichkeit, die komplexe Welt der nordischen Götter, Helden und Mythen einem breiteren Publikum zugänglich zu machen, indem sie die alten Geschichten mit modernen Erzähltechniken und beeindruckenden visuellen Effekten zum Leben erwecken. Die Darstellung der nordischen Mythologie in Film und Fernsehen hat eine Vielzahl von Interpretationen hervorgebracht, die sowohl die Authentizität des Ausgangsmaterials respektieren als auch kreative Freiheiten nutzen, um neue Geschichten zu erzählen.

Eine der prominentesten und kommerziell erfolgreichsten Adaptionen der nordischen Mythologie in jüngster Zeit ist das Marvel Cinematic Universe (MCU), insbesondere die Filme um die Figur Thor. Obwohl diese Darstellungen stark von den traditionellen Mythen abweichen, haben sie dazu beigetragen, Figuren wie Thor, Loki und Odin sowie Elemente wie Asgard einem weltweiten Publikum bekannt zu machen. Die Filme kombinieren Elemente von Action, Drama und Komödie, um Geschichten zu erzählen, die sowohl unterhaltsam als auch visuell beeindruckend sind. Trotz der offensichtlichen Unterschiede zu den Originalmythen bieten sie Einblicke in die Grundthemen der nordischen Mythologie, wie den Konflikt zwischen Ordnung und Chaos, die Bedeutung von Ehre und Opfer und die unvermeidliche Annäherung an Ragnarök.

Auf der anderen Seite stehen Fernsehserien wie "Vikings", die sich stärker an der historischen Realität und den überlieferten Sagen orientieren, auch wenn sie sich künstlerische Freiheiten erlauben. "Vikings" taucht tief in die Kultur, die sozialen Strukturen und die spirituellen Überzeugungen der Wikingerzeit ein, wobei ein besonderer Schwerpunkt auf den Konflikten zwischen dem traditionellen nordischen Glauben und dem aufkommenden Christentum liegt. Die Serie erforscht die Komplexität der Charaktere, die von realen historischen Figuren und mythologischen Helden inspiriert sind, und verwebt ihre persönlichen Geschichten mit größeren Erzählungen über Entdeckungen, Eroberungen und das Streben nach Ruhm.

Ein weiteres bemerkenswertes Beispiel ist die Serie "American Gods", die auf dem gleichnamigen Roman von Neil Gaiman basiert. Die Serie stellt die nordischen Götter in den Kontext der modernen amerikanischen Gesellschaft, wo sie um ihre Relevanz und Macht in einer Welt kämpfen, die von den neuen Göttern der Medien, der Technologie und des Konsums beherrscht wird. "American Gods" stellt tiefgreifende Fragen über Glauben, Identität und die Bedeutung von Mythen in der heutigen Welt und zeigt, wie die alten Götter in neuen Formen weiterleben.

Neben diesen populären Adaptionen gibt es zahlreiche Filme und Serien, die sich auf spezifische Elemente der nordischen Mythologie konzentrieren, wie die Heldensagen, die Darstellung von Valkyrien oder die Erforschung von Ragnarök. Diese Werke variieren in ihrem Grad an historischer und mythologischer Genauigkeit, aber alle bieten einen Einblick in die Komplexität und den Reichtum der nordischen Mythologie.

Die Darstellung der nordischen Mythologie in Film und Fernsehen zeugt von ihrer zeitlosen Anziehungskraft und ihrer Fähigkeit, ein modernes Publikum zu erreichen. Durch die Kombination traditioneller Geschichten mit modernen Erzähltechniken bieten diese visuellen Medien eine Plattform für die Erforschung universeller Themen wie Macht, Identität, Opfer und Sinnsuche. Sie eröffnen neue Perspektiven auf alte Mythen und geben Einblicke in die kulturelle und spirituelle Welt der nordischen Völker und halten die Mythologie für zukünftige Generationen lebendig.

8.3 Einfluss auf Musik und Kunst

Die nordische Mythologie hat weit über die Grenzen Skandinaviens hinaus einen tiefgreifenden und nachhaltigen Einfluss auf Musik und Kunst ausgeübt, der sich durch alle Epochen und Stilrichtungen zieht. Dieses reiche kulturelle Erbe mit seinen dramatischen Erzählungen von Göttern, Helden, kosmischen Konflikten und tiefgründigen Reflexionen über das menschliche Schicksal hat Künstler und Musiker inspiriert, Werke zu schaffen, die diese uralten Geschichten für neue Generationen lebendig halten.

In der klassischen Musik findet sich eine der frühesten und einflussreichsten Bezüge zur nordischen Mythologie in Richard Wagners monumentalem Zyklus "Der Ring des Nibelungen". Das aus vier Teilen - "Das Rheingold", "Die Walküre", "Siegfried" und "Götterdämmerung" - bestehende Opernwerk ist tief in der nordischen und germanischen Mythologie verwurzelt und erzählt eine komplexe Geschichte von Macht, Verrat, Liebe und Erlösung. Wagners innovative musikalische Technik und seine Fähigkeit, mythologische Stoffe in eine epische musikalische Form zu gießen, haben die Oper und die klassische Musik insgesamt nachhaltig geprägt. Der "Ring" hat nicht nur die Musiklandschaft verändert, sondern auch Künstler anderer Disziplinen beeinflusst und gilt als Vorläufer vieler moderner Erzählungen in Film und Literatur.

In der bildenden Kunst haben die nordischen Mythen die Künstler seit der Romantik inspiriert, als das Interesse an den nationalen Mythen und der herrlichen Natur Skandinaviens wuchs. Künstler wie Johan Lundbye, Nils Blommér und Peter Nicolai Arbo griffen mythologische Themen auf, um Werke zu schaffen, die die majestätische Schönheit der nordischen Landschaften und die dramatischen Geschichten der Mythologie einfangen. Ihre Werke zeichnen sich durch eine tiefe emotionale Resonanz und eine starke visuelle Darstellung der Verbindung zwischen Mensch, Natur und dem Göttlichen aus.

In der modernen und zeitgenössischen Kunst finden sich weiterhin Bezüge zur nordischen Mythologie, oft als Mittel zur Erforschung von Identität, Geschichte und spirituellen Themen. Künstler wie Hilma af Klint und Joseph Beuys haben Elemente der nordischen

Mythologie in ihre Werke integriert, um universelle Fragen der Existenz und der Beziehung des Menschen zum Kosmos zu thematisieren. Diese Werke zeugen von der anhaltenden Relevanz der nordischen Mythen als Quelle der Inspiration und Reflexion.

Besonders stark ist der Einfluss der nordischen Mythologie in der Musikszene, vor allem im Metal-Genre, wo sich Bands wie Amon Amarth, Enslaved und Wardruna explizit auf diese alten Erzählungen beziehen. Ihre Musik - von melodischem Death Metal über Black Metal bis hin zu folkigen Klängen - nutzt die Mythologie, um Themen wie Kampf, Ehre, Naturverbundenheit und spirituelle Suche zu erforschen. Diese Bands tragen nicht nur zur Popularisierung der nordischen Mythologie bei, sondern bieten auch neue Interpretationen und Perspektiven, die die zeitlose Natur dieser Geschichten unterstreichen.

Die Präsenz der nordischen Mythologie in Musik und Kunst zeigt, wie diese alten Geschichten und Figuren weiterhin eine tiefe kulturelle und emotionale Resonanz finden. Sie dienen als Brücke zwischen Vergangenheit und Gegenwart, zwischen dem Menschlichen und dem Göttlichen und erinnern uns an gemeinsame Themen und Fragen, die unsere Suche nach Bedeutung und Verbundenheit durchziehen. Durch die fortwährende Erforschung und Neugestaltung dieser Mythen in Musik und Kunst werden die nordischen Sagen für zukünftige Generationen bewahrt und dienen weiterhin als Quelle der Inspiration und Reflexion.

8.4 Neopaganismus und moderne Spiritualität

Der Neopaganismus, eine Bewegung, die seit dem 20. Jahrhundert an Bedeutung gewonnen hat, umfasst eine Vielzahl spiritueller und religiöser Praktiken, die sich an vorchristlichen, insbesondere europäischen Glaubenssystemen orientieren. Innerhalb dieser breiten Bewegung hat die Wiederbelebung und Neuinterpretation der nordischen Mythologie und der damit verbundenen spirituellen Praktiken eine besondere Nische gefunden, die als "Heidentum" oder "Ásatrú" bekannt ist. Diese moderne Form der Spiritualität greift auf die alten Göttergeschichten, Rituale und Weltbilder der nordischen Völker zurück, um Antworten auf zeitgenössische spirituelle Fragen zu finden und eine Verbindung zur Natur und zum kosmischen Universum herzustellen.

Ásatrú und verwandte neopagane Strömungen, die sich auf die nordische Tradition beziehen, betonen die Verehrung der Götter des nordischen Pantheons - Odin, Thor, Freya und andere - sowie den Respekt vor den Kräften der Natur und den Ahnen. Diese Bewegungen sind nicht monolithisch; sie unterscheiden sich stark in Praxis, Glauben und Interpretation der Quellen. Einige Praktizierende streben eine möglichst authentische Rekonstruktion der alten Glaubensvorstellungen an, während andere einen eher eklektischen oder symbolischen Ansatz bevorzugen, der die alten Mythen und Rituale als Metaphern für persönliche und spirituelle Entwicklungen interpretiert.

Die Praxis des modernen Heidentums umfasst oft Rituale und Feiern, die auf alten nordischen Festen wie der Wintersonnenwende (Yule) und der Sommersonnenwende (Midsummer) basieren. Diese Feste bieten Gelegenheiten, die Zyklen der Natur zu ehren und die Verbindung zwischen dem Individuum, der Gemeinschaft und dem Universum zu stärken. Blot-Zeremonien, bei denen den Göttern oder Ahnen Opfergaben dargebracht werden, sind ebenfalls ein zentrales Element vieler neopaganer Praktiken, ebenso wie Seidr, eine Form schamanischer Arbeit, die in modernen Kontexten häufig für Heilung, Weissagung und spirituelle Erforschung eingesetzt wird.

Ein wichtiger Aspekt des modernen Heidentums ist das Streben nach einer Ethik, die auf Ehrlichkeit, Mut, Gastfreundschaft, Gerechtigkeit und Respekt vor der Natur beruht. Diese Werte, die sich in alten Texten und Mythen widerspiegeln, bilden den Rahmen für die persönliche Entwicklung und das Zusammenleben in der Gemeinschaft. Die Betonung individueller Freiheit und Verantwortung steht im Einklang mit dem neopaganen Glauben an das Recht jedes Einzelnen, seinen eigenen spirituellen Weg zu finden und zu gehen.

Die Wiederbelebung der nordischen Mythologie im Kontext des Neopaganismus und der modernen Spiritualität spiegelt auch eine tiefere Sehnsucht nach Verbundenheit mit der Vergangenheit, nach kulturellen Wurzeln und nach einer spirituellen Dimension des Lebens wider, die in den vorherrschenden monotheistischen Religionen oder im säkularen Humanismus als unzureichend empfunden wird. Für viele

Menschen bietet das neopagane Heidentum eine Möglichkeit, sich in einer zunehmend entfremdeten und technologisierten Welt wieder mit den natürlichen Rhythmen und spirituellen Kräften des Universums zu verbinden.

Gleichzeitig ist die moderne heidnische Bewegung Teil eines breiteren kulturellen Diskurses über Identität, Tradition und die Neugestaltung spiritueller Praktiken in einer globalisierten Welt. Die Wiederentdeckung und Neuerfindung der nordischen Mythologie im Heidentum spiegelt das Bedürfnis wider, Inspiration aus den reichen Quellen der Vergangenheit zu schöpfen, während man sich den Herausforderungen der Gegenwart und Zukunft stellt.

Die Integration der nordischen Mythologie in den Neopaganismus und die moderne Spiritualität ist daher ein lebendiges Beispiel dafür, wie alte Glaubenssysteme und Mythen in neuen Kontexten weiterleben und transformiert werden können. Es zeigt, dass die Geschichten, Götter und Rituale der nordischen Völker nicht nur historische Kuriositäten sind, sondern lebendige Traditionen, die weiterhin Einfluss auf die spirituelle Landschaft der modernen Welt haben.

9. Schlussbetrachtung

9.1 Zeitlose Faszination der nordischen Mythologie

Die nordische Mythologie mit ihren reichen Erzählungen von Göttern, Riesen, tapferen Helden und der unausweichlichen Apokalypse von Ragnarök übt eine zeitlose Faszination aus, die weit über ihre historischen Ursprünge in Skandinavien hinausreicht. Diese alten Geschichten, die in den dunklen Wäldern und unter den leuchtenden Nordlichtern des hohen Nordens entstanden sind, berühren universelle Themen der menschlichen Erfahrung: Konflikt und Harmonie, Liebe und Verlust, Ehre und Verrat, Schicksal und freier Wille. Ihre ungebrochene Anziehungskraft liegt in der tiefen Menschlichkeit dieser Geschichten, in ihrer Fähigkeit, die großen Fragen des Lebens zu ergründen, und in ihrer unverkennbaren Verbundenheit mit Natur und Kosmos.

Ein Grund für die zeitlose Faszination der nordischen Mythologie ist die Darstellung der Götter und anderer Wesen als unvollkommen und vielschichtig. Im Gegensatz zu den allmächtigen Gottheiten vieler anderer Religionen und Mythologien zeigen die nordischen Götter menschliche Züge: Sie kämpfen mit ihren Schwächen, machen Fehler und stehen oft vor moralischen Dilemmata. Diese Darstellung macht sie zugänglich und ermöglicht es den Menschen, sich mit ihnen zu identifizieren. Figuren wie Odin, der Allvater, der auch um den Preis großen persönlichen Leids nach Erkenntnis strebt, oder Loki, der

Trickster, dessen Streiche und Täuschungen sowohl zerstörerisch als auch lebensrettend sein können, sind in ihrer Vielschichtigkeit und Ambivalenz fesselnd.

Darüber hinaus sind die nordischen Mythen tief in der natürlichen Welt verwurzelt, was ihre Geschichten in einer Zeit, in der die Menschheit mit ökologischen Krisen und einem wachsenden Bedürfnis nach einer nachhaltigeren Verbindung zur Erde konfrontiert ist, besonders resonanzfähig macht. Die mythische Landschaft Yggdrasil, der Weltenbaum, der alle Ebenen des Seins verbindet, und die Elemente Feuer, Eis, Erde und Wasser, die in der Schöpfungsgeschichte eine zentrale Rolle spielen, sprechen eine tiefe Sehnsucht nach Harmonie mit der Natur an.

Auch die Erzählungen der nordischen Mythologie, die oft von Heldentum und Tragik geprägt sind, sprechen von einem universellen Verständnis von Ehre und Schicksal. Die Geschichten von heroischen Kriegern, die nach Walhall streben, der prächtigen Halle, in der sie feiern und bis Ragnarök kämpfen, verkörpern Ideale von Mut und Selbstaufopferung. Gleichzeitig werfen sie Fragen nach dem Sinn des Lebens und dem Preis des Ruhms auf. Die Unausweichlichkeit von Ragnarök, der letzten Schlacht, in der viele Götter und Helden fallen werden, reflektiert eine tiefe Auseinandersetzung mit dem Kreislauf von Leben und Tod und der Vorstellung, dass Zerstörung notwendig ist, um ein neues Zeitalter einzuleiten.

Die moderne Wiederentdeckung und Neuerfindung der nordischen Mythologie in Literatur, Film, Musik und Kunst sowie ihre Integration in zeitgenössische spirituelle Praktiken zeugen von ihrer anhaltenden Relevanz. Diese Geschichten bieten einen reichen symbolischen Rahmen, um die Komplexität der menschlichen Natur und die Herausforderungen unserer Zeit zu navigieren. Sie erinnern uns an die Kraft des Erzählens, um unsere tiefsten Ängste und Hoffnungen auszudrücken und einen Sinn in der scheinbaren Willkür des Schicksals zu finden.

Die zeitlose Faszination der nordischen Mythologie liegt letztlich in ihrer Fähigkeit, uns zu unterhalten, zu belehren, zu inspirieren und zu trösten. Sie spricht unser tiefstes Bedürfnis nach Verbundenheit an, unser Bedürfnis nach Geschichten, die uns helfen, die Welt zu verstehen und unseren Platz in ihr zu finden. In einer Zeit, in der die Welt oft zersplittert und unsicher erscheint, bieten die nordischen Mythen ein Fenster zu einer Welt, in der jedes Ende ein neuer Anfang ist und in der die Suche nach Weisheit, Ehre und Harmonie das größte Abenteuer überhaupt darstellt.

9.2 Reflexionen über die Bedeutung der Mythen heute

Die nordische Mythologie, ein reiches Geflecht von Geschichten über Götter, Menschen, Natur und Kosmos, ist auch heute noch eine tiefe Quelle der Inspiration und Reflexion. In einer Welt, die von rasantem technologischen Wandel, sozialen Umbrüchen und ökologischen Herausforderungen geprägt ist, finden die alten Mythen Skandinaviens neue Resonanz. Sie dienen nicht nur der Unterhaltung, sondern auch der Auseinandersetzung mit tiefgreifenden Fragen zu Identität, Moral, Gemeinschaft und unserem Verhältnis zur natürlichen Welt.

Eines der zentralen Themen, das die nordische Mythologie heute besonders relevant macht, ist die Vorstellung von Zyklen - von Leben und Tod, von Zerstörung und Erneuerung. Ragnarök, die Prophezeiung vom Untergang der Götter und der Welt und der anschließenden Geburt einer neuen Welt, spiegelt eine tiefe Auseinandersetzung mit dem Konzept von Ende und Neubeginn wider. In einer Zeit, in der die Menschheit mit den potenziell katastrophalen Auswirkungen des Klimawandels, dem Verlust der biologischen Vielfalt und anderen ökologischen Krisen konfrontiert ist, bieten die Geschichten von Tod und Wiedergeburt eine metaphorische Perspektive auf die Möglichkeit von Hoffnung und Transformation inmitten von Verlust und Zerstörung.

Die Figuren der nordischen Mythologie mit ihren komplexen Persönlichkeiten und moralischen Ambivalenzen bieten reiches Material für Reflexionen über das Wesen von Heldentum und Ethik. Götter wie Odin und Thor, weise und fehlbar, mächtig und verletzlich zugleich, erinnern uns daran, dass Stärke viele Formen annehmen kann und dass selbst die mächtigsten Wesen an ihre Grenzen stoßen. In einer Zeit, in der einfache Antworten auf komplexe Fragen immer seltener werden, ermutigen uns diese Figuren, die Komplexität der menschlichen Erfahrung anzuerkennen und die Bedeutung von Weisheit, Mitgefühl und Mut in einer unsicheren Welt zu schätzen.

Darüber hinaus wirft die nordische Mythologie tiefe Fragen nach Gemeinschaft und sozialer Verantwortung auf. Die Betonung von Werten wie Ehre, Gastfreundschaft und gegenseitiger Unterstützung in den alten Geschichten bietet eine Vision für den Aufbau stärkerer, kooperativer Gemeinschaften. In einer Zeit, die von sozialer Fragmentierung und zunehmendem Individualismus geprägt ist, erinnern uns die Mythen daran, dass unser Wohlergehen untrennbar mit dem unserer Mitmenschen und der natürlichen Welt verbunden ist.

Die nordische Mythologie ist auch eine reiche Inspirationsquelle für künstlerische und kreative Ausdrucksformen. Von der Literatur über die bildende Kunst bis hin zu Musik und Film haben diese alten Geschichten Künstler dazu angeregt, die Grenzen der menschlichen Vorstellungskraft auszuloten und Werke zu schaffen, die die zeitlosen Themen der Mythen in neuen Formen zum Ausdruck bringen. Diese kreativen Werke dienen nicht nur der Unterhaltung, sondern auch der Reflexion und dem Dialog über die grundlegenden Fragen des Lebens und der menschlichen Existenz.

Schließlich bietet die nordische Mythologie eine Perspektive für die spirituelle Suche des Menschen. In einer Zeit, in der die traditionellen religiösen Institutionen für viele ihre Anziehungskraft verloren haben, finden die Menschen in den alten Glaubensvorstellungen und Praktiken neue Wege zur spirituellen Erfüllung und zum Verständnis ihres Platzes im Universum. Die Mythen mit ihrer tiefen Verwurzelung in der Natur und ihrem Respekt vor den vielfältigen Formen des Göttlichen eröffnen Wege zu einer Spiritualität, die persönlich, umweltbewusst und tief mit dem kulturellen Erbe verbunden ist.

Insgesamt bietet die nordische Mythologie ein reiches Feld, um über die Bedeutung von Mythen heute nachzudenken. Sie lädt uns ein, über unsere eigene Zeit hinauszuschauen und Verbindungen zu den tiefen, universellen Themen menschlicher Erfahrung herzustellen. Durch die Beschäftigung mit diesen alten Geschichten können wir Einsichten gewinnen, die uns helfen, die Herausforderungen der Gegenwart zu meistern und eine hoffnungsvollere Vision für die Zukunft zu entwickeln.

9.3 Ausblick: Die Zukunft der nordischen Mythologie

Die nordische Mythologie, ein tief verwurzeltes und reiches Erbe alter Erzählungen und Überlieferungen, hat die Jahrhunderte überdauert und erfreut sich auch in der modernen Welt großer Beliebtheit. Ihr Fortbestehen und ihre anhaltende Relevanz deuten auf eine vielversprechende Zukunft hin, in der diese Mythen weiterhin eine Quelle der Inspiration, der Reflexion und der kulturellen Identität sein werden. Die Zukunft der nordischen Mythologie wird wahrscheinlich von mehreren Schlüsselfaktoren geprägt sein: ihrer Anpassungsfähigkeit an moderne Medien, ihrer Fähigkeit, auf aktuelle soziale und ökologische Fragen zu reagieren, und ihrer kontinuierlichen Erforschung in akademischen und kulturwissenschaftlichen Studien.

Anpassungsfähigkeit an moderne Medien und Technologien: Im Zeitalter der Digitalisierung haben neue Medienformate die Art und Weise, wie Geschichten erzählt und erlebt werden, revolutioniert. Videospiele, virtuelle Realität und Online-Plattformen bieten neue Möglichkeiten, die nordische Mythologie zu erforschen und zu interpretieren. Videospiele wie "God of War" haben bereits gezeigt, wie mythologische Erzählungen in interaktive Erlebnisse verwandelt werden können, die ein breites Publikum ansprechen. Zukünftige Technologien könnten noch immersivere Erlebnisse ermöglichen, die den Nutzer direkt in die Welten von Asgard, Midgard und Jotunheim eintauchen lassen.

Antwort auf soziale und ökologische Herausforderungen: Die nordische Mythologie enthält tiefe Einsichten in die Beziehung zwischen Mensch und Natur und in die Notwendigkeit, im Einklang mit der natürlichen Welt zu leben. In einer Zeit, in der der Klimawandel und der Verlust der biologischen Vielfalt zu den drängendsten Herausforderungen gehören, können diese alten Geschichten als Inspiration für einen nachhaltigeren Umgang mit der Erde dienen. Die Darstellung des Kreislaufs von Schöpfung und Zerstörung in den Mythen spiegelt natürliche Prozesse wider und kann dazu beitragen, ein tieferes Bewusstsein für ökologische Verantwortung zu schaffen.

Fortgesetzte wissenschaftliche und kulturelle Forschung: Die nordische Mythologie wird auch weiterhin ein wichtiges Feld für wissenschaftliche Forschung und kulturelle Studien bleiben. Die weitere Erforschung alter Texte, die Entdeckung neuer archäologischer Funde und die interdisziplinäre Analyse der Mythen im Zusammenhang mit Geschichte, Literatur, Kunst und Religion werden unser Verständnis dieser reichen Tradition vertiefen. Diese Forschungen können dazu beitragen, die Mythen in neuen Kontexten zu interpretieren und ihre Bedeutung für die heutige Zeit zu erschließen.

Integration in Bildung und öffentliches Bewusstsein: Die Einbeziehung der nordischen Mythologie in Bildungsprogramme und kulturelle Initiativen kann dazu beitragen, ein breiteres Verständnis und eine größere Wertschätzung dieser Tradition zu fördern. Schulen, Museen und Kultureinrichtungen spielen eine entscheidende Rolle bei der Vermittlung von Wissen über die nordischen Mythen und bei der Hervorhebung ihrer kulturellen Bedeutung. In Workshops, Ausstellungen und öffentlichen Lesungen können Menschen aller Altersgruppen die faszinierende Welt der nordischen Götter und Helden entdecken.

Neuinterpretationen und kreative Adaptionen: Schriftsteller, Künstler und Musiker werden sich weiterhin von der nordischen Mythologie inspirieren lassen und neue Werke schaffen, die die alten Geschichten für ein modernes Publikum neu interpretieren. Von der Literatur über die bildende Kunst bis hin zur Popkultur können kreative Adaptionen dazu beitragen, die Mythen lebendig zu halten und ihre Themen und Figuren in neue Formen und Erzählungen zu integrieren.

Die Zukunft der nordischen Mythologie ist eine spannende Perspektive, die das Potenzial birgt, sowohl das kulturelle Erbe Skandinaviens zu bewahren als auch auf globale Fragen und Herausforderungen der Gegenwart zu reagieren. Ihre zeitlosen Themen und tiefen Einsichten in die menschliche Natur und die kosmische Ordnung werden weiterhin Menschen auf der ganzen Welt inspirieren, sich mit diesen alten Geschichten auseinanderzusetzen und ihre Bedeutung für das eigene Leben und die Gemeinschaft zu erforschen.

Veröffentlichung und Design: Marcus Jungnickel
Wollinstr. 72, 70439 Stuttgart, Deutschland

Tag der Veröffentlichung: 09.02.2024

Printed in Poland
by Amazon Fulfillment
Poland Sp. z o.o., Wrocław

37224848R00057